목본류

한국토종약용식물도감—목본류

2012년 6월 5일 초판 1쇄 인쇄
2012년 6월 15일 초판 1쇄 발행

공저자 | 정진해 · 권영숙 · 김경은
펴낸이 | 권혁재

펴 낸 곳 | 학연문화사
주 소 | 서울시 금천구 가산동 371-28 우림라이온스밸리 B동 712호
전 화 | 02-2026-0541~4
팩 스 | 02-2026-0547
이 메 일 | hak7891@chol.com
홈페이지 | www.hakyoun.co.kr
출판등록 | 1988년 2월 26일 제2-501호

ISBN 978-89-5508-277-7 04480
ISBN 978-89-5508-275-3 (전2권)

| 커버 · 본문 디자인 – 이목디자인

정진해 · 권영숙 · 김경은
공저

학연문화사

일러두기

1. 이 책에는 약용식물 중 초본종 · 목본종 · 총종을 수록하였으며, 각 식물의 생생한 현장 사진과 건재약재 사진도 함께 수록하였다.
2. 이 책에 수록된 식물은 현재 우리나라의 들과 산 · 습지 · 수중에서 자라는 토종식물과 일부 귀화식물도 포함하였다.
3. 건재약재 사진은 현재 한방에서 주로 사용되고 있는 건약재를 선정하여 자료가 되게 수록하였다.
4. 식물의 분류은 초본식물과 목본식물로 나누었고, 각각 가나다 순으로 배열하였다.
5. 한국식물명은 산림청 국립수목원과 한국식물분류학회가 공동으로 운영하는 「국가표준식물목록」의 최근 자료를 따랐으며, 일부는 필자의 견해를 적용한 것도 있다.
6. 생약명은 『중약대사전』에 기재된 공식명칭과 『국가표준식물목록』에 기재된 명칭을 인용하였다.
7. 식물용어의 이해를 돕기 위해 부록에 뿌리 · 줄기 · 가시 · 잎 · 꽃 · 열매 · 종자의 도해를 실었다.
8. 이 책을 출판하기 위해 『원색한국식물도감』(이용노. 교학사, 1996). 『中藥大辭』(강소신의학원편. 상해과학기술출판사, 1977), 『대방약학편』(황도연. 행림출판사, 1977), 『한국의 약용식물』(배기환, 교학사, 2005), 『국가생물종지식정보시스템』(국립수목원 홈페이지) 등을 참고하였다.

책머리에

21세기 첨단과학의 위세가 하늘을 찌를 듯하지만, 결코 우리의 삶은 밝지 않은 것 같습니다. 자연 생태계가 급격히 허물어지고 있기 때문이지요.

필자의 어린 시절 놀이터는 인근에 있는 어달리봉수대 터였습니다. 동해시 대진동에 있는 이 봉수대(200미터)에 오르면 검푸른 동해가 한눈에 잡히지요. 동네 개구장이들은 그곳에 널린 큼직한 돌멩이를 들어 낭떠러지 아래로 던지는 놀이를 했지요. 그 돌멩이가 소중한 문화재인 줄 전혀 몰랐던 것이죠.

이 잔상(殘像) 탓인지 필자는 오래 전부터 전국에 산재한 옛 봉수대 터와 산성 터를 찾아다녔지요. 그때마다 반갑게 맞이해주는 것은 나무와 풀, 예쁘게 핀 꽃들이었지요. 아무 말 없이 그것들은 늘 그 자리에서 피고 지며 필자를 한결같이 반겨주었습니다. 이 무렵부터 본격적인 생태기행은 시작되었고, 식물에 대한 탐닉활동도 병행되었지요.

예부터 우리는 자연 속에서 건강하고 행복하게 사는 방법과 지혜를 찾아 왔습니다. 지난 30여 년 남짓 나름대로 식물이 가진 고유한 특성과 성분을 관찰해 왔습니다. 그 결과, 약이 되지 않는 식물은 이 세상에 존재하지 않는다는 사실을 깨달았습니다. 길가에서 자라는 잡초도, 흔한 주변의 풀이나 나무들도 사람의 난치병을 치유하는 신통한 효력을 가지고 있다는 사실도 함께 알게 된 것이지요.

우리나라는 세계적으로 매우 우수한 약용식물 자원을 가진 나라입니다. 약용식물은 기후와 산지, 그리고 토질에 따라 종류가 다양하며, 그 효능도 각기 다르지요. 일본 · 중국은 물론, 세계 각국에서 우리나라의 약용식물에 대한 약효와 품질은 그 인지도가 아주 높지요. 그만큼 우리나라는 약용식물의 보고로 세계에 널리 알려져 있지요.

우리나라는 국토가 좁아도 자라는 식물의 종류는 다양합니다. 산이 많고, 기후가 아열대에서 한대에 걸쳐 있고, 또 강과 호수가 있어 늪지식물 · 수생식물, 거기에 갯벌이 넓어 염생식물까지 정말 다양한 식물이 서식하고 있지요. 흙이 비옥하고, 지각변동이 적어 고사리나 산삼같이 기원이 오랜 식물에서부터 가장 진화된 식물인 국화류에 이르기까지 우리의 산하에는 약용식물이 널려 있지요.

약용식물이란 인간의 질병 치료에 이용되는 식물로서, 식물성 생약의 원식물(原植物)이라 할 수 있지요. 약용식물은 그 식물의 전체나 일부분이 약효를 가지고 있는데, 흔히 약초(藥草)라고 부르지요. 목본식물 · 초본식물은 물론, 버섯 같은 근류도 포함되며, 넓은 의미로는 세균류까지 포함시킬 수 있지요.

현재 약용식물로 활용하는 종류는 학자에 따라 주장이 다른데, 수천 종에 이를 테지만, 이 책에서는 905종만 우선 수록했습니다. 약용식물은 수요면으로 보면 의약용과 생약용으로 나눌 수 있지요. 의 약용은 직접 의료나 의약품 제조에 이용하는 것을 말하며, 생약용은 한약 · 가정약 등, 이른바 오랜 경험을 통해 약효가 알려진 민간약을 말하지요.

약용식물을 공부하기 위해서는 정확한 생김새 익히기가 첫 단계지요. 잎 · 줄기 · 꽃의 모양을 알고나면 냄새와 맛도 관찰해야지요. 이 책의 특징은 최근까지 생생하게 살아 있는 식물들을 현장에서 직접 촬영한 사진을 사용했다는 점이지요. 또한 토착식물(indigeneous plants)은 물론, 일정지역에서 사람의 보호를 받지 않고 자연상태로 자라는 식물(spontaneous plants)까지, 다시 말해 오래 전부터 우리 땅에서 살고 있는 귀화식물(naturalized plants)도 넓은 의미로 포함시킨 점이지요.

이렇게 해서 모아진 자료들을 혼자만 소유할 게 아니라 보다 많은 사람들과 공유하고 싶어 이 『한국토종약용식물도감』을 펴내게 된 것이지요. 일면 자연 생태계를 지키고, 진정 삶의 질이 높아지기를 바라는 필자의 희망을 담은 셈이지요. 그러나 부족한 부분이 부족하지 않은 부분보다 훨씬 많은 데 대해 계속 보완 · 수정할 것이며, 여러분의 따끔한 지적도 함께 바랍니다.

이 책이 나오기까지 늘 함께 들과 산에서 관찰하고, 토론 · 연구해 온 '서울약용식물관리사협회' 회원님들과 '한국토종식물해설사협회' 회원님들께 고마웠다는 인사드립니다. 또한 이 책을 선뜻 펴내준 학연문화사 권혁재 사장님, 그리고 밤낮으로 책을 꾸미느라 애써준 최홍순 학형에게도 감사드립니다.

2012년 5월 책임저자 정 진 해

목차

목본류 _ 0015~531

가

목차

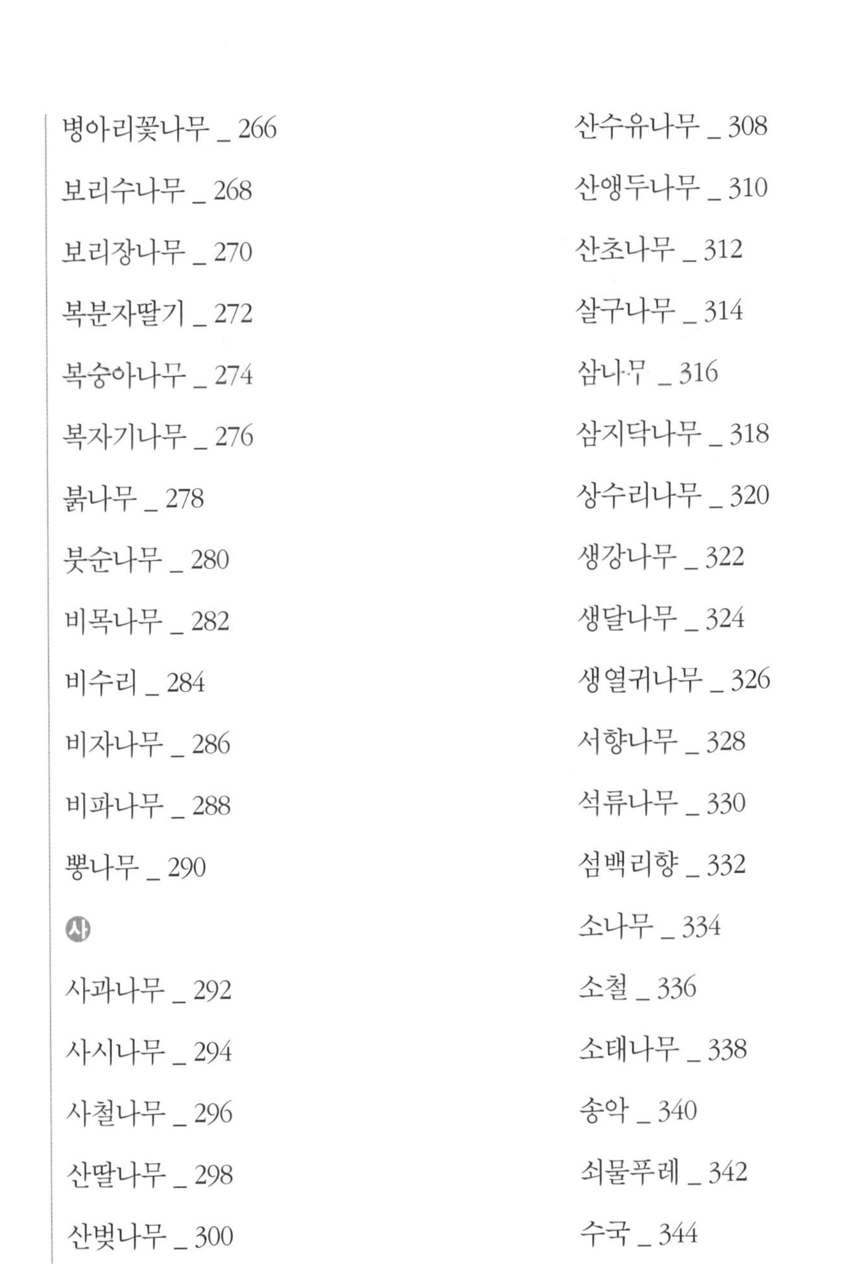

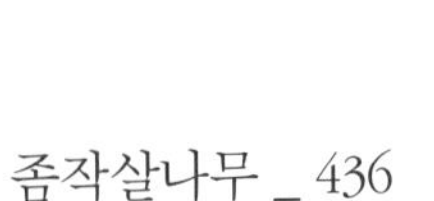

부록(식물의 각 부분별 명칭과 모양) _ 533~562

찾아보기 _ 563~568

목|본|류

학명 | Juglans mandshurica

분류 | 쌍떡잎식물 가래나무목 가래나무과

분포 | 한국(중부 이북), 중국 북동부, 시베리아(아무르, 우수리)

형태 | 낙엽활엽 교목

가래나무

서식 산기슭의 양지쪽에서 자란다.

줄기 암회색이며 세로로 터진다.

잎
- 잎은 홀수깃꼴겹잎이다.
- 작은잎은 7~17개이며, 긴 타원형 또는 달걀 모양 타원형이다.
- 잔 톱니가 있고 앞면은 잔 털이 있으나 점차 없어지고, 뒷면은 털이 있거나 없는 것도 있으며 잎맥 위에 선모가 있다.

꽃
- 꽃은 단성화로서 4월에 피는데, 수꽃은 밑으로 처지는 수꽃화수에 달리며 암꽃은 위로 향한 암꽃화수에 달린다.
- 수술은 12~14개이며 암꽃이삭에 4~10개의 꽃이 핀다.

열매
- 열매는 핵과로서 달걀 모양 원형이고, 9월에 익는다.
- 외과피에는 선모가 빽빽이 나고, 내과피는 흑갈색인데 매우 굳으며 양 끝이 뾰족하다.

이용
- 나무의 재질이 치밀하고 질겨서 잘 뒤틀리지 않기 때문에 내장재 · 기계재 · 조각재로 널리 사용된다.
- 열매는 그대로 먹거나, 기름을 짜서 쓴다.

약용활용

생약명 | 핵도추과(核桃楸果), 핵도추피(核桃楸皮)

이용부위 | 열매, 줄기껍질

채취시기 | 봄~가을

약성미 | 성질은 따뜻하고 맛은 맵다.

주치활용 | 허약증, 신허요통, 변비, 유정, 요로결석, 유즙결핍증, 위통, 위, 십이지장궤양, 이질, 결막염 등

효능 | 청열(清熱), 해독(解毒), 지리(止痢), 명목(明目)

민간활용 | 열매를 달여 설사, 입안염에 입가심한다.
속씨는 벌레떼기약, 설사약, 기침약으로 쓰이며 씨기름은 피부병에 사용한다.
류머티스, 태선, 습진에는 껍질을 달여서 목욕한다.

2011 © 가막살나무

학명 | Viburnum dilatatum

분류 | 쌍떡잎식물 꼭두서니목 인동과

분포 | 한국(제주), 일본, 타이완, 중국, 인도

형태 | 낙엽관목

가막살나무

서식 산허리 아래의 숲속에서 자란다.

잎
- 잎은 마주나며 둥글거나 넓고 달걀을 거꾸로 세운 모양으로, 톱니가 있다.
- 잎 뒷면에 액을 분비하는 선점이 있고, 양면에 별 모양의 털이 난다.
- 잎자루에는 턱잎이 없다.

꽃
- 꽃은 흰색이며, 6월에 잎이 달린 가지 끝이나 줄기 끝에 취산꽃차례로 핀다.
- 화관에 털이 있고 수술이 화관보다 길다.

열매 열매는 달걀 모양 핵과로 10월에 붉게 익는다.

약용활용

생약명 | 협미(莢迷)

이용부위 | 줄기, 잎

채취시기 | 여름

약성미 | 성질은 평하고 맛은 달고 쓰며 독이 없다.

주치활용 | 소아간적

효능 | 거삼충, 하기, 소곡

학명 | Ampelopsis brevipedunculata for. citrulloides

분류 | 쌍떡잎식물 갈매나무목 포도과

분포 | 한국, 중국, 일본

형태 | 낙엽활엽 덩굴나무

가새잎개머루

서식 산이나 들, 길가 언덕과 냇가에서 자란다.

줄기 가지에 털이 없고 줄기껍질이 갈색이며 마디가 굵다.

잎
- 잎은 어긋나고 5개로 깊게 갈라지며 갈라진 조각에 톱니가 있다.
- 잎은 덩굴손과 마주나며 잎자루와 마주 달린 덩굴손이 2개로 갈라진다.
- 잎 앞면에는 털이 없으나 뒷면에는 잔털이 있다.

꽃
- 꽃은 녹색이며 6~7월에 취산꽃차례로 달린다.
- 꽃잎은 5장이고 수술 5개, 암술 1개이다.

열매 열매는 9월 무렵에 익으며 둥글고 푸른색을 띤다.

약용활용

생약명 | 산고등(酸古藤)

이용부위 | 열매

채취시기 | 가을

약성미 | 성질은 평하고 맛은 달다.

주치활용 | 관절통, 만성신장염, 소변 이상, 간염

효능 | 해열거풍, 이뇨, 소염

2011 © 가시나무

속명 | 정가시나무

학명 | Quercus myrsinaefolia

분류 | 쌍떡잎식물 참나무목 참나무과

분포 | 한국(제주, 진도, 전남과 경남의 해안), 일본, 중국 등지

형태 | 상록 교목

가시나무

서식 바닷가 계곡에서 자란다.

줄기 잔가지는 털이 있으나 차차 없어진다.

잎
- 잎은 긴 타원형 또는 바소꼴로 위쪽 또는 가장자리에 예리한 잔 톱니가 있다.
- 측맥은 11~15쌍이다.

꽃 꽃은 4~5월에 피는데, 수꽃이삭은 지난해에 난 가지에서 밑으로 처지고, 암꽃이삭은 새 가지에 곧게 선다.

열매
- 열매는 각과로 견모가 있고 달걀 모양 또는 넓은 타원형이다.
- 10월에 익으며 식용한다.

이용
- 상록성 잎이 아름다워 강한 햇볕과 바람을 차단할 목적으로 심는다.
- 기계재, 공구재, 선박재, 건축재, 세공재로 사용한다.

약용활용

생약명 | 면자(麪子), 면자피엽(麪子皮葉)

이용부위 | 열매, 잎

채취시기 | 열매—가을(10월), 잎—수시

약성미 | 성질은 따뜻하고 맛은 달고 독이 없다.

주치활용 | 설리, 악혈, 결석, 설사

효능 | 지갈

민간활용 | 월경과다, 폐경, 자궁암, 주로 부인병에 열매를 달여서 먹거나 술에 담가 복용한다.

2011 © 가시복분자

학명 | Rubus schizostylus

분류 | 쌍떡잎식물 장미목 장미과

분포 | 한국 특산종으로 제주에 분포

형태 | 낙엽활엽 관목

가시복분자

서식 바닷가의 평지에서 자란다.

줄기 원줄기는 기어가고 자줏빛이 돌며 가지에 잔털과 가시가 있다.

잎
- 잎은 어긋나고 우상복엽이다.
- 작은잎은 3~5개이고 넓은 난형 또는 원형이며 깊은 톱니가 있다.
- 잎 표면은 녹색이고 짧은 털이 있으며 뒷면은 연한 녹색으로 잔털이 있다.

꽃
- 5~6월에 산방꽃차례로 새 가지 끝에 장미빛 꽃이 핀다.
- 꽃받침은 피침형이고 꽃잎은 안쪽으로 굽으며 씨방에는 털이 많다.

열매 열매는 가을에 붉게 익는다.

이용 열매는 식용한다.

약용활용

생약명 | 복분자(覆盆子)

이용부위 | 열매

채취시기 | 여름(7~8월 열매가 붉게 익기 전)

약성미 | 성질은 따뜻하고 맛은 달고 시다.

주치활용 | 불임증, 음의증

효능 | 강장, 명목

민간활용 | 술을 담가 한 달 뒤 복용하면 발기부전, 불임, 유정, 어지러움증에 좋다고 한다.

2011 © 가시오갈피

학명 | Acanthopanax senticosus

분류 | 쌍떡잎식물 산형화목 두릅나무과

분포 | 한국(지리산 이북), 일본, 사할린, 중국 동북부, 우수리강 유역

형태 | 낙엽 관목

가시오갈피

서식 깊은 산지 계곡에서 자란다.

줄기 전체에 가늘고 긴 가시가 빽빽이 나며 특히 잎자루 밑에 가시가 많다.

잎 잎은 손바닥 모양 겹잎으로 어긋나고 넓은 타원형의 작은잎이 3~5개 나오며 톱니가 있다.

꽃
- 6~7월에 산형꽃차례로 자황색 꽃이 가지 끝에 1개씩 달린다.
- 암술대는 길이 1cm 정도로 완전히 합쳐지고 암술머리가 5개로 약간 갈라진다.

열매 열매는 장과로 타원형이며 10월에 짙은 자주색으로 익는다.

이용 오갈피 음료로 이용되고 있다.

약용활용

생약명 | 자오가(刺五加)

이용부위 | 뿌리, 나무껍질

채취시기 | 여름~가을

약성미 | 성질은 따뜻하고 맛은 시고 맵다.

주치활용 | 양위, 관절류머티즘, 요통, 퇴행성관절증후군, 수종, 각기, 타박상, 종창

효능 | 거풍습, 장근골, 활혈, 보간신, 거어

민간활용 | 중풍이나 허약체질에 치료하는 약으로 사용해 왔다.

주의 | 음허화왕자는 신중을 기하여 복용해야 한다.

2011 © 가죽나무

속명 | 가중나무, 가승목

학명 | Ailanthus altissima Swingls

분류 | 쌍떡잎식물 쥐손이풀목 소태나무과

분포 | 중국

형태 | 낙엽활엽 교목

가죽나무

줄기 수간이 통직하며 나무껍질은 회갈색이고 오랫동안 갈라지지 않고 일년생 가지는 황갈색 또는 적갈색이며 털이 있으나 없어지는 것도 있다.

잎
- 잎은 호생하며 기수1회 우상복엽으로 13~25매의 소엽으로 되어 있다.
- 소엽은 장난형-난형상피침형으로 점첨두이고 원저에 가깝다.
- 소엽의 하부에 2~4개의 파상거치가 있으며 각 거치의 끝에 선점이 있다.

꽃
- 원뿔 모양 꽃차례는 가지 끝에 달리고 꽃은 자웅이가화로 녹색이 도는 흰색으로 6~8월에 핀다.
- 꽃받침은 5개로 갈라지며 5개의 꽃잎은 끝이 안으로 꼬부라지고 수술은 10개이다.
- 5심피로 된 씨방의 암술대가 5개로 갈라진다.

열매 열매는 시과로서 9~10월에 익으며 날개 가운데 종자가 달린다.

약용활용

생약명 | 저근백피(樗根白皮), 저엽, 봉안초

이용부위 | 뿌리, 잎, 열매

채취시기 | 봄, 가을

약성미 | 성질은 서늘하며 맛은 쓰고 조금 독이 있다.

주치활용 | 이질, 치질, 장풍, 감충, 옴, 악창

효능 | 수렴, 살충, 구충

민간활용 | 이질, 혈변, 위궤양에 뿌리를 진하게 달여 먹는다.

2011 © 갈매나무

학명 | Rhamnus davurica

분류 | 쌍떡잎식물 이판화군 갈매나무목 갈매나무과

분포 | 한국, 중국 동북부, 아무르, 우수리 등지에 분포

형태 | 낙엽활엽 관목

갈매나무

서식 골짜기와 냇가에서 자란다.

줄기 가지 끝이 변하여 된 가시가 있다.

잎
- 잎은 마주나고 타원상 도란형 또는 장타원형으로 끝이 뾰족하며 잎맥에 털이 있다.
- 잎 뒷면은 회록색이고 가장자리에 톱니가 있다.
- 턱잎은 가늘며 빨리 떨어진다.

꽃
- 꽃은 단성화로 가지 밑쪽의 잎겨드랑이에 1~2개씩 달린다.
- 수술에 퇴화된 암술이 있으며, 암꽃에는 꽃밥이 없는 수술이 있다.
- 꽃받침은 난형이다.

열매
- 5~6월에 청록색의 꽃이 피고 9~10월에 둥근 열매가 검게 익는다.
- 열매는 원형이고 2개의 씨가 들어 있다.
- 가을에 열매를 채취하여 노천매장하였다가 봄에 파종한다.

이용 열매와 수피는 황색염료로 쓰였다.

약용활용

생약명 | 서리(鼠李)

이용부위 | 열매

채취시기 | 가을(9~10월)

약성미 | 성질은 약간 차고 맛은 쓰며 독이 있다.

주치활용 | 이뇨제, 완하제

효능 | 해열, 이뇨, 소종

민간활용 | 민간요법으로는 설사와 변비에도 효과가 있다.

학명 | Quercus aliena

분류 | 쌍떡잎식물 너도밤나무목 참나무과

분포 | 한국, 일본, 타이완, 중국 북동부, 동남 아시아의 난대, 인도 등지

형태 | 낙엽활엽 교목

갈참나무

서식 산기슭에서 자란다.

줄기 나무껍질은 그물처럼 얕게 갈라지며, 작은가지와 겨울눈에 털이 없다.

잎
- 잎은 타원형으로, 끝은 둔한 것과 뾰족한 것이 있으며 윗면에 털이 없고 짙은 녹색이다.
- 잎 뒷면은 회백색이고 2~17개로 갈라진 별 모양의 털이 빽빽이 난다.
- 잎 가장자리는 물결 모양 또는 굵은 이빨 모양의 톱니로 되어 있다.

꽃
- 꽃은 5월에 피는데 단성화이고, 수꽃이삭은 축 늘어지며 5~9개의 화피와 6~14개의 수술이 있다.
- 암꽃은 6개의 화피와 2~4개의 암술머리가 있다.
- 깍정이는 삼각형의 작은돌기로 덮여 있다.

열매 열매는 견과이며 타원형이고, 10월에 익으며 식용한다.

이용
- 구황식량으로 도토리묵, 전분, 국수를 얻었다.
- 그을음이 없고 화력이 센 참숯을 만들었다.

생약명 | 상자

이용부위 | 열매(도토리)

채취시기 | 가을(9~10월)

약성미 | 성질이 따뜻하고 맛은 쓰고 떫으며 독이 없다.

주치활용 | 잇몸염, 인후두염, 화상 등

효능 | 장풍하혈(腸風下血)해독, 지혈

민간활용 | 화상 입은 자리에 도토리 가루를 바르면 통증이 사라지고 빨리 아문다.

2011 © 감나무

속명 | 시수(柿樹)

학명 | Diospyros kaki

분류 | 쌍떡잎식물 감나무목 감나무과

분포 | 중국 중북부, 일본, 한국 중부 이남

형태 | 낙엽활엽 교목

감나무

줄기 줄기의 겉껍질은 비늘 모양으로 갈라지며 작은가지에 갈색 털이 있다.

잎
- 잎은 어긋나고 가죽질이며 타원형의 달걀 모양이다.
- 잎가장자리에는 톱니는 없고, 잎자루는 털이 있다.
- 잎의 뒷면은 녹색이고 광택이 난다.

꽃
- 꽃은 양성 또는 단성으로 5~6월에 황백색으로 잎겨드랑이에 달린다.
- 수꽃은 16개의 수술이 있으나 양성화에는 4~16개의 수술이 있다.
- 암꽃의 암술대에 털이 있으며 길게 갈라지고 씨방은 8실이다.

이용 열매는 달걀 모양 또는 한쪽으로 치우친 공 모양이고 10월에 주황색으로 익는다.

이용 열매는 식용으로 하고, 감잎은 차로 애용된다.

생약명 | 시체(柿蒂)

이용부위 | 꽃받침, 잎

채취시기 | 가을(9~10월)

약성미 | 성질은 평하고 맛은 쓰고 떫으며 독이 없다.

주치활용 | 치액역, 고혈압, 중풍, 이질, 설사, 하혈, 위장염, 대장염

효능 | 강역하기(降逆下氣)

민간활용 | 딸꾹질할 때 곶감을 삶은 물을 마시면 멎는다.

2011 © 개나리

학명 | Forsythia koreana

분류 | 쌍떡잎식물 용담목 물푸레나무과

원산지 | 한국

분포 | 한국, 중국

형태 | 낙엽 관목

개나리

서식 산기슭 양지에서 많이 자란다.

줄기 가지 끝이 밑으로 처지며, 잔가지는 처음에는 녹색이지만 점차 회갈색으로 변하고 껍질눈[皮目]이 뚜렷하게 나타난다.

잎
- 잎은 마주나고 타원형이며 톱니가 있다.
- 잎 앞면은 짙은 녹색이고 뒷면은 황록색인데 양쪽 모두 털이 없다.

꽃
- 4월에 잎겨드랑이에서 노란색 꽃이 1~3개씩 피며 꽃자루는 짧다.
- 꽃받침은 4갈래이며 녹색이다.
- 화관은 끝이 4갈래로 깊게 갈라지는데 갈라진 조각은 긴 타원형이다.
- 수술은 2개이고 화관에 붙어 있으며 암술은 1개이다.
- 암술대가 수술보다 위로 솟은 것은 암꽃이고, 암술대가 짧아 수술 밑에 숨은 것은 수꽃이다.

열매 열매는 9월에 삭과로 달리는데, 달걀 모양이다.

이용
- 개나리꽃으로 담근 술을 개나리주라 하고, 햇볕에 말린 열매를 술에 담가 저장한 것을 연교주라 한다.
- 병충해와 추위에 잘 견디므로 흔히 관상용, 생울타리용으로 심는다.

약용활용

생약명 | 연교(連翹)

이용부위 | 꽃, 열매

채취시기 | 열매–가을, 줄기 · 잎–수시

약성미 | 맛은 쓰고 성질은 약간 차고 독이 없다.

주치활용 | 한열, 발열, 화농성질환, 림프선염, 소변불리, 종기, 신장염, 습진

효능 | 청열, 해독, 소종, 산결

민간활용 | 인동덩굴꽃, 개나리열매를 물에 달여 하루 3번에 나누어 끼니 뒤에 먹는다.

2011 © 개느삼

속명 | 개미풀, 개고삼, 느삼나무

학명 | Echinosophora koreensis

분류 | 쌍떡잎식물 장미목 콩과

분포 | 한국(강원 양구 이북지방, 평남, 함남)

형태 | 낙엽 관목

개느삼

서식 길가에서 자란다.

줄기
- 땅속줄기로 번식하고 가지는 어두운 갈색이며 털이 난다.
- 겨울눈은 털로 덮여 있어 보이지 않는다.

잎
- 잎은 어긋나고 홀수깃꼴겹잎이다.
- 작은잎은 13~27개로 긴 타원형이다.
- 앞면에는 털이 없고 뒷면에는 흰털이 빽빽이 난다.
- 턱잎은 가시 모양이며 떨어지지 않는다.

꽃
- 5월에 노란색 꽃이 총상꽃차례로 핀다.
- 꽃차례는 새 가지 끝에서 나와 꽃이 달린다.
- 작은 포는 바소꼴이고 검은 빛이 돌며 털이 있다.
- 꽃받침은 5개로 갈라지고 뒤쪽의 2개가 약간 작다.
- 수술은 10개이고, 씨방에는 털이 많고 6~7개의 밑씨가 들어 있다.

열매 열매는 협과로 7~9월에 익는다.

이용 주로 관상용으로 심는다.

약 용 활 용

생약명 | 고삼(苦蔘)

이용부위 | 뿌리

채취시기 | 가을~이듬해 봄

약성미 | 성질은 차고 맛은 쓰다.

주치활용 | 황달, 이질, 대하, 음부가려움증

효능 | 청열조습, 거풍살충

2011 © 개다래

학명 | Actinidia polygama

분류 | 쌍떡잎식물 측막태좌목 다래나무과

분포 | 한국(충북을 제외한 전 지역), 일본, 사할린섬, 쿠릴열도

형태 | 낙엽성 덩굴식물

개다래

서식 깊은 산속 나무 밑이나 계곡에서 자란다.

줄기 잔가지에는 어릴 때 연한 갈색 털이 나는데 드물게 가시 같은 억센 털이 나기도 한다.

잎
- 잎은 어긋나고 막질이며 넓은 달걀 모양 또는 타원형이고 끝이 점점 뾰족해진다.
- 잎의 앞면 상반부가 흰색으로 변하기도 한다.
- 잎맥 위에 갈색 털이 나며 잔 톱니가 있다.

꽃
- 6~7월에 가지 윗부분 잎겨드랑이에 흰색 꽃이 3~10개 달린다.
- 꽃받침과 꽃잎은 각각 5개이고 향기가 있다.

열매
- 열매는 장과로 긴 타원형이고 9~10월에 누렇게 익으며 아래로 늘어진다.
- 열매를 먹을 수 있으나 혓바닥을 쏘는 듯한 맛이 나고 달지 않다.

약용활용

생약명 | 목천료(木天蓼)

이용부위 | 뿌리, 줄기, 잎, 열매

채취시기 | 가을(9~10월)

약성미 | 성질은 따뜻하고 맛은 매우며 독이 조금 있다.

주치활용 | 중풍, 안면 신경마비, 산통, 요통

효능 | 진통, 거풍습

민간활용 | 가지와 잎은 촌충을 없애는 데 쓴다.

학명 | Ampelopsis brevipedunculata var. heterophylla

분류 | 쌍떡잎식물 갈매나무목 포도과

분포 | 충남, 충북, 평남을 제외한 전국

형태 | 낙엽활엽 덩굴나무

개머루

서식 산야에서 자란다.

줄기 나무껍질은 갈색이며 마디가 굵다.

잎
- 잎은 어긋나고 3~5개로 갈라진다.
- 갈라진 조각에 톱니가 있고 앞면에는 털이 없으나 뒷면에는 잔털이 있다.
- 덩굴손과 잎이 마주난다.

꽃
- 취산꽃차례는 잎과 마주나고 꽃은 양성화이며 5개의 꽃잎과 수술이 있고 1개의 암술이 있다.
- 6~7월에 녹색으로 핀다.

열매 열매는 둥글고 9월에 하늘색으로 익는다.

약용활용

생약명 | 사포도(蛇葡萄)

이용부위 | 줄기, 잎, 열매

채취시기 | 줄기 · 잎-여름(7월), 열매-8월

약성미 | 성질의 평하고 맛은 달고 독이 없다.

주치활용 | 관절통, 소변불리, 적색소변, 만성신장염

효능 | 해열거풍(解熱祛風), 이뇨(利尿), 소염(消炎)

민간활용 | 간염 간경화 등에 간질환에 탁월한 효능이 있어 간질환에 많이 사용한다.

2011 © 개비자나무

속명 | 좀비자나무, 조선조비

학명 | Cephalotaxus koreana

분류 | 겉씨식물 구과목 주목과

분포 | 한국(경기, 충북 이남)

형태 | 상록침엽 관목

개비자나무

서식 산골짜기나 숲 밑의 습기 많은 곳에서 자란다.

줄기
- 나무껍질은 암갈색, 세로로 갈라진다.
- 가지는 횡장성이며 일년 생가지는 녹색이다.

잎
- 잎은 줄 모양이다.
- 양쪽이 뾰족하며 잎 앞면은 녹색이고 뒷면은 두 줄로 된 흰색의 기공선이 있다.

꽃
- 꽃은 단성화로 4월에 핀다.
- 수꽃은 10여 개의 포에 싸여 한 꽃대에 20~30개씩 달린다.
- 암꽃은 2개씩 1군데 달리고 10여 개의 뾰족한 녹색 포에 싸인다.
- 밑씨는 한 꽃에 8~10개씩 있다.

열매 열매는 타원형으로 다음해 8~10월에 붉은 빛으로 익는다.

이용 열매는 식용하고 나무는 정원수로 쓴다.

약용활용

생약명 | 조비(粗榧)

이용부위 | 종자

채취시기 | 여름~가을(8~10월)

약성미 | 성질은 평하고 맛은 달다.

주치활용 | 식적, 가래, 기침, 종기, 악창, 옴, 버짐

효능 | 혈압강하

민간활용 | 구충제

2011 © 개살구

학명 | Prunus mandshurica var. glabra

분류 | 쌍떡잎식물 장미목 장미과

분포 | 한국(중부 이북), 중국 북동부 등지

형태 | 낙엽활엽 교목

개살구

서식 산기슭의 양지쪽이나 마을 부근에서 자란다.

줄기 나무껍질은 코르크가 발달하였으며 작은가지는 밤색이다.

잎
- 잎은 어긋나고 넓은 달걀 모양으로 끝이 뾰족하며 불규칙한 겹톱니가 있다.
- 잎 뒷면은 녹색이다.

꽃
- 꽃은 연한 붉은색 또는 흰색으로 4~5월에 잎보다 먼저 1개씩 핀다.
- 꽃받침조각은 타원형이며 줄 모양의 톱니가 있다.
- 꽃잎은 둥근 모양이다.
- 암술은 수술과 비슷하고 암술머리는 술잔 모양이다.
- 씨방에는 털이 난다.

열매 열매는 핵과로서 달걀 모양이며 떫은 맛이 나고 7~8월에 노란색으로 익는다.

이용 열매는 생식하거나 말려 먹기도 하며, 잼이나 주스를 만들기도 한다.

약용활용

생약명 | 행인(杏仁)

이용부위 | 속씨

채취시기 | 가을(9월)

약성미 | 성질은 약간 따뜻하고 맛은 쓰고 약간 맵다.

주치활용 | 기침, 천식, 기관지염, 인후염, 급성폐렴, 변비

효능 | 지해정천, 장조변비. 진해, 거담, 통변

민간활용 | 개고기를 먹고 체했을 때 행인을 달여 먹고, 여성의 피부미용에도 사용한다.

속명 | 산백과(山白果), 깨금, 처낭

학명 | Corylus heterophylla var. thunbergii

분류 | 쌍떡잎식물 참나무목 자작나무과

분포 | 한국, 일본, 중국, 헤이룽강

형태 | 낙엽활엽 관목

개암나무

서식 산기슭의 양지쪽에서 자란다.

줄기 새 가지에 선모가 있다.

잎
- 잎은 어긋나고 타원형, 겉에는 자줏빛 무늬, 뒷면에는 잔털이 나고 가장자리에는 뚜렷하지 않다.
- 깊이 패어 들어간 부분과 잔 톱니가 있다.

꽃
- 꽃은 단성화로 3월에 핀다.
- 수꽃이삭은 2~5개가 가지 끝에서 축 늘어지며 수꽃은 포 안에 1개씩 들어 있다.
- 수술은 8개이고, 암꽃이삭은 달걀 모양이며 10여 개의 암술대가 겉으로 나온다.

열매
- 열매는 둥근 모양의 견과이고 넓은 총포에 싸인다.
- 9~10월에 갈색으로 익는다.

이용 열매는 식용한다.

약 용 활 용

생약명 | 진자(榛子)

이용부위 | 열매

채취시기 | 가을(9~10월)

약성미 | 성질은 평하고 맛은 달고 독이 없다.

주치활용 | 신체허약, 식욕부진, 눈의 피로, 현기증

효능 | 염폐, 정천, 지대, 축뇨

민간활용 | 강장보호, 건비위, 명목, 보신 등 씨껍질을 벗긴 알맹이를 달여서 복용한다.

2011 © 개오동

속명 | Catalpa ovata

학명 | 쌍떡잎식물 통화식물목 능소화과

원산지 | 중국

분포 | 강원, 경기

형태 | 낙엽활엽 교목

개오동

서식 마을 부근이나 정원에 심는다.

줄기
- 껍질은 잿빛을 띤 갈색이다.
- 가지가 퍼지고 작은가지에 잔털이 나거나 없다.

잎
- 잎은 마주나거나 돌려나고 넓은 달걀 모양이다.
- 밑동에서 3~5갈래로 갈라지고 갈라진 조각은 나비가 넓으며 끝이 뾰족하다.
- 잎 겉면은 털이 없고 사줏빛을 띤 녹색이며 뒷면은 연한 녹색이고 맥 위에 잔털이 난다.
- 잎자루는 자줏빛이다.

꽃
- 꽃은 6~7월에 노란 빛을 띤 흰색으로 가지 끝에 원추꽃차례로 달리며 털이 없다.
- 꽃받침은 2개로 갈라지고 그 조각은 넓은 달걀 모양이다.
- 꽃잎은 입술 모양인데 양 면에 노란 줄과 자줏빛 점이 있다.
- 수술은 완전한 것이 2개, 꽃밥이 퇴화한 것이 3개이다.

열매 열매는 삭과로 10월에 익으며 종자는 갈색이고 양쪽에 털이 난다.

이용 가로수로 심는다.

약용활용

생약명 | 재백피(梓白皮), 자실(梓實)

이용부위 | 뿌리, 줄기, 열매

채취시기 | 열매가 절반 정도 익을 때 채취

약성미 | 성질은 차고 맛은 쓰다.

주치활용 | 자실—이뇨제로서 신장염, 부종, 단백뇨, 소변불리
자백피—신경통, 간염, 담낭염. 황달, 신장염, 소양증, 암 등

효능 | 청열, 해독, 살충

민간활용 | 짓찧어서 환부에 바른다.

2011 © 개옻나무

학명 | Rhus trichocarpa

분류 | 쌍떡잎식물 무환자나무목 옻나무과

분포 | 한국, 일본, 중국, 쿠릴 열도 남부

형태 | 낙엽활엽 소교목

개옻나무

서식 산허리나 산기슭에서 자란다.

줄기 작은가지와 잎자루는 붉은 빛을 띤 갈색이며 털이 난다.

잎
- 잎은 어긋나고 잎자루와 더불어 홀수1회 깃꼴겹잎이다.
- 작은잎은 13~17개이고 잎자루는 짧으며 달걀 모양 또는 긴 타원형이다.
- 잎 밑은 둥글고 끝은 뾰족하다.
- 겉면 맥 위에 털이 나거나 없으며, 뒷면 맥 위에는 털이 난다.
- 가장자리는 밋밋하거나 톱니가 2~3개 있는 것이 있다.

꽃
- 원추꽃차례로 꽃이삭이 잎겨드랑이에서 나오는데, 꽃은 단성화이고 5~7월에 노란 빛을 띤 녹색으로 핀다.
- 꽃잎과 꽃받침은 각각 5개이다.
- 꽃차례는 갈색 털이 빽빽이 난다.
- 수꽃에는 5개의 수술, 암꽃에는 3개의 암술머리가 있다.

열매 열매는 핵과인데, 납작하고 둥글며 10월에 노란빛을 띤 갈색으로 익는다.

이용 수액은 약으로 쓰고 나무는 땔감으로 이용한다.

약용활용

생약명 | 건칠(乾漆)

이용부위 | 어린잎, 진액, 줄기껍질

채취시기 | 여름–잎, 가을–뿌리

약성미 | 성질은 따뜻하고 맛은 맵고 독이 있다.

주치활용 | 부녀의 월경폐지, 어혈, 충적, 접골, 심위기통

효능 | 파어, 소적, 살충

학명 | *Syringa reticulata* var. *mandshurica*

분류 | 쌍떡잎식물 용담목 물푸레나무과

분포 | 한국, 일본, 사할린섬, 중국, 아무르

형태 | 낙엽 소교목

개회나무

서식 산의 계곡에서 자란다.

줄기 가지는 퍼지고 털이 없으며 어릴 때는 자줏빛이 돈다.

잎 잎은 마주나고 넓은 달걀 모양으로 가장자리가 밋밋하다.

꽃
- 꽃은 6월에 흰색으로 피고 원추꽃차례가 묵은가지 끝에 달린다.
- 화관통은 짧으며 엷은 노란색이다.
- 수술은 화관 밖으로 나온다.

열매 열매는 삭과로서 긴 타원형이고 2개로 갈라지며 9~10월에 익는다.

이용 관상용으로 정원에 심는다.

생약명 | 폭마자

이용부위 | 가지

채취시기 | 연중 수시

약성미 | 성질은 평하고 맛은 쓰다.

주치활용 | 만성기관염, 효천, 심장성부종

효능 | 지해평천, 청폐거담

2011 © 갯버들

학명 | Salix gracilistyla

분류 | 쌍떡잎식물 버드나무목 버드나무과

분포 | 한국, 일본, 중국, 우수리강 연안

형태 | 낙엽활엽 관목

갯버들

서식 강가에서 많이 자란다.

줄기 뿌리 근처에서 가지가 많이 나오며 어린 가지는 노란 빛이 도는 녹색으로 털이 있으나 곧 없어진다.

잎
- 잎은 거꾸로 세운 바소꼴 또는 넓은 바소꼴로 양 끝이 뾰족하고 톱니가 있다.
- 잎 표면은 털이 덮여 있다가 없어지고, 뒷면은 털이 빽빽이 나서 흰 빛이 돌거나 털이 없는 것도 있다.

꽃
- 꽃은 단성화로 4월에 잎겨드랑이에서 어두운 자주색 꽃이 핀다.
- 수꽃이삭은 넓은 타원형으로 수술이 2개이고, 암꽃이삭은 긴 타원형으로 꿀샘이 1개이며 붉은색이다.
- 포는 긴 타원형으로 털이 있고 암술머리는 4개이다.

열매 열매는 삭과로서 긴 타원형이며 털이 있다.

이용 뿌리는 관절염 치료에 사용한다.

약용활용

생약명 | 조유근, 세주유(細柱柳)

이용부위 | 줄기, 잎

채취시기 | 봄(5월)

약성미 | 성질은 평하고 맛은 쓰다.

주치활용 | 항달, 옹종, 치루, 세균성 설사

효능 | 풍열

민간활용 | 피가 나는 상처에 가지의 껍질과 잎을 짓찧어 붙인다.

2011 © 검양옻나무

학명 | Rhus succedanea

분류 | 쌍떡잎식물 이판화군 무환자나무목 옻나무과

분포 | 한국(제주, 전남), 일본, 중국, 타이완, 히말라야

형태 | 낙엽활엽 교목

검양옻나무

서식 낮은 지대에서 자란다.

줄기 일년생 가지에 털이 없다.

잎
· 잎은 어긋나고 1회 홀수깃꼴겹잎이다.
· 작은 잎은 7~15개이고 긴 타원형 또는 타원형의 바소꼴로 끝이 뾰족하다.

꽃
· 원추꽃차례는 잎겨드랑이에서 나오고 꽃은 암수가 섞여 있으며 5월에 피며 황록색이다.
· 꽃받침 · 꽃잎 · 수술이 모두 5개씩이고 암꽃은 5개의 작은 수술과 1개의 씨방이 있으며 암술대가 3개로 갈라진다.

열매 열매는 핵과로 납작한 공 모양이고 노란색이며 털은 없고 10월에 익는다.

이용 과일의 껍질에서 밀초를 채취한다.

약용활용

생약명 | 건칠(乾漆)
이용부위 | 어린잎, 진액, 줄기껍질
채취시기 | 여름-잎, 가을-뿌리
약성미 | 성질은 따뜻하고 맛은 맵고 독이 있다.
주치활용 | 부녀의 월경폐지, 어혈, 충적, 접골, 심위기통
효능 | 파어, 소적, 살충

2011 © 겨우살이

학명 | Viscum album var. coloratum

분류 | 쌍떡잎식물 단향목 겨우살이과

분포 | 한국, 일본, 타이완, 중국, 유럽, 아프리카

형태 | 상록 기생관목

겨우살이

서식 참나무, 물오리나무, 밤나무, 팽나무 등에 기생한다.

줄기
· 둥지같이 둥글게 자란다.
· 가지는 둥글고 황록색이다.

잎 잎은 마주나고 다육질이며 바소꼴로 잎자루가 없다.

꽃
· 꽃은 3월에 황색으로 가지 끝에 피고 꽃대는 없으며, 작은 포는 접시 모양이고 암수 딴그루이다.
· 화피는 종 모양이고 4갈래이다.

열매
· 열매는 둥글고 10월에 연노란색으로 익는다.
· 과육이 잘 발달되어 산새들이 좋아하는 먹이가 되며 이 새들에 의해 나무로 옮겨져 퍼진다.

이용 생약에서 기생목은 이것 전체를 말린 것이며, 산의 나무에 해를 주지만 약용으로 쓴다.

약 용 활 용

생약명 | 상기생(桑寄生)

이용부위 | 전초

채취시기 | 겨울

약성미 | 성질은 평하고 맛은 달고 쓰며 독이 없다.

주치활용 | 간암, 신장암, 치통, 격기, 자통, 요통, 부인 산후 제증, 동상, 동맥경화

효능 | 항암, 이뇨, 지혈

민간활용 | 민간에서 관절염과 태동불안, 고혈압으로 인한 두통 등에 겨우살이를 달여 먹는다.

2011 © 계수나무

학명 | Cercidiphyllum japonicum

분류 | 쌍떡잎식물 이판화군 미나리아재비목 계수나무과

분포 | 한국, 일본, 중국

형태 | 낙엽활엽 교목

계수나무

서식 냇가 등의 양지바른 곳에 모여 산다.

줄기 곧게 자라고 굵은 가지가 많이 갈라지며 잔가지가 있다.

잎
- 잎은 마주나고 달걀 모양으로 넓으며 끝이 다소 둔하다.
- 앞면은 초록색, 뒷면은 분백색이고 5~7개의 손바닥 모양의 맥이 있으며 가장자리에는 둔한 톱니가 있다.

꽃
- 꽃은 암수 딴 그루(자웅이주)에서 피며 5월 경에 잎보다 먼저 각 잎겨드랑이에 1개씩 피는데 화피가 없고 소포가 있다.
- 수꽃에는 많은 수술이 있고 수술대는 가늘다.
- 암꽃에는 3~5개의 암술이 있으며 암술머리는 실같이 가늘고 연홍색이다.

열매 열매는 3~5개씩 달리고 씨는 편평하며 한쪽에 날개가 있다.

이용 정원에 관상용으로 심는다.

약용활용

생약명 | 계피(桂皮)

이용부위 | 줄기껍질, 어린가지

채취시기 | 여름~가을(8~10월)

약성미 | 성질은 따뜻하고 맛은 맵고 독이 조금 있다.

주치활용 | 설사, 구토, 소화불량, 감기, 풍한제증, 중풍 등

효능 | 발한, 해열, 진통, 홍분, 행혈, 서근

2011 © 계요등

학명 | Paederia scandens

분류 | 쌍떡잎식물 용담목 꼭두서니과

분포 | 한국(전남, 경남, 충북), 일본, 중국, 필리핀

형태 | 낙엽활엽 덩굴식물

계요등

서식 산기슭의 양지쪽에서 자란다.

줄기 윗부분은 겨울에 죽으며 일년생 가지에 잔털이 나고 독특한 냄새가 난다.

잎
- 잎은 달걀 모양 또는 바소꼴로 마주난다.
- 잎의 앞면은 털이 있고 뒷면에는 잔털이 있거나 없는 것이 있으며 가장자리가 밋밋하다.

꽃
- 꽃은 7~8월에 피며 원추꽃차례 또는 취산꽃차례로 잎겨드랑이나 줄기 끝에 달린다.
- 꽃부리는 긴 통 모양이고 흰색이며 자수색 반점이 있고 끝이 5갈래로 갈라진다.
- 수술은 5개 중 2개는 길고 암술대는 2개이다.

열매 열매는 둥글고 윤이 나며 9~10월에 황갈색으로 익는다.

약 용 활 용

생약명 | 계뇨등과(鷄尿藤果)

이용부위 | 전초(뿌리, 줄기, 열매)

채취시기 | 여름

약성미 | 성질은 평하고 맛은 달다.

주치활용 | 신경통, 류머티즘, 관절염, 소화불량, 위통 · 간염, 비장종대, 기관지염, 해수, 골수염, 타박상, 림프선염, 화농성질환

효능 | 진통, 해독, 거풍, 소종

민간활용 | 전초를 채집하여 소주를 붓고 짓찧은 후 밀가루를 개어서 타박상, 어혈, 신경통 등에 붙인다.

학명 | Philadelphus schrenckii

분류 | 쌍떡잎식물 이판화군 장미목 범의귀과

분포 | 한국, 일본, 중국 둥베이, 우수리 강변

형태 | 낙엽활엽 관목

고광나무

서식 주로 산골짜기에서 자란다.

줄기 작은가지에는 털이 조금 있으며 2년생 가지는 회색이고 껍질이 벗겨진다.

잎
· 잎은 마주나고 달걀 모양 또는 타원형으로 양쪽 끝이 뾰족하며 뚜렷하지 않은 톱니가 있다.
· 잎 표면은 녹색이고 털이 거의 없으나 뒷면은 연한 녹색으로 맥 위에 잔털이 있다.

꽃
· 4~5월에 흰색 꽃이 잎겨드랑이나 꼭대기에 총상꽃차례로 5~7개가 달리며 꽃대와 꽃가지에 잔털이 있다.
· 꽃받침은 안쪽 끝에 잔털이 있으며 꽃잎은 둥글다.
· 암술대는 4개이다.

열매 열매는 삭과로 둥근 모양이고 9월에 익는다.

이용 목재는 관상용으로 쓰고 어린 잎은 식용한다.

약 용 활 용

생약명 | 동북산매화(東北山梅花)

이용부위 | 뿌리, 열매

채취시기 | 가을(10월 이후)

약성미 | 맛은 짜다.

주치활용 | 염증이 심한 치질, 허리와 등의 통증

효능 | 청열해독, 소종

2011 © 고로쇠나무

속명 | 고로쇠, 고로실나무, 오각풍, 수색수, 색목

학명 | Acer mono

분류 | 쌍떡잎식물 무환자나무목 단풍나무과

분포 | 전남, 경남, 강원

형태 | 낙엽 교목

고로쇠나무

서식 산지 숲속에서 자란다.

줄기 나무껍질은 회색이고 여러 갈래로 갈라지며 잔가지에 털이 없다.

잎
- 잎은 마주나고 둥글며 대부분 손바닥처럼 5갈래로 갈라진다.
- 잎 끝이 뾰족하고 톱니는 없다.
- 긴 잎자루가 있으며 뒷면 맥 위에 가는 털이 난다.

꽃
- 꽃은 잡성으로 양성화와 수꽃이 같은 그루에 핀다.
- 4~5월에 작은꽃이 잎보다 먼저 연한 노란색으로 핀다.
- 꽃잎은 5개이고 수술은 8개, 암술은 1개이다.

열매 열매는 시과로 프로펠러 같은 날개가 있으며 9월에 익는다.

이용 고로쇠라는 이름은 뼈에 이롭다는 뜻의 한자어 골리수에서 유래하였다.

약용활용

생약명 | 지금축(地錦槭)

이용부위 | 줄기껍질

채취시기 | 수액–봄, 줄기껍질–가을

약성미 | 성질은 따뜻하고 맛은 맵다.

주치활용 | 위장병, 폐병, 신경통, 관절염

효능 | 거풍, 제습, 활혈, 거어

민간활용 | 수액을 소화불량과 당뇨병에 활용한다.

학명 | Diospyros lotus

분류 | 쌍떡잎식물 감나무목 감나무과

분포 | 한국(경기 이남), 일본, 중국 등지

형태 | 낙엽 교목

고욤나무

서식 마을 부근에 많이 자란다.

줄기 껍질은 회갈색이고 잔가지에 회색 털이 있으나 차차 없어진다.

잎 잎은 어긋나고 타원형 또는 긴 타원형으로 끝이 급하게 좁아져 뾰족하다.

꽃
- 꽃은 암수 딴 그루이며 항아리 모양이다.
- 6월에 검은 자줏빛으로 피고 새 가지 밑부분의 잎겨드랑이에 달린다.
- 수꽃은 2~3개씩 한군데에 달리며 수술이 16개이고, 암꽃에는 꽃밥이 없는 8개의 수술과 1개의 암술이 있다.

열매
- 열매는 둥근 장과로 10월에 익는다.
- 열매에는 타닌이 들어 있으며 빛깔은 노란색 또는 어두운 자줏빛이다.

이용 한방에서는 열매를 따서 말린 것을 군천자라 하여 소갈 · 번열증 등에 처방한다.

약용활용

생약명 | 군천자(君遷子)

이용부위 | 열매

채취시기 | 겨울

약성미 | 성질은 몹시 차고 맛은 달고 떫다.

주치활용 | 피부윤택, 소갈증, 당뇨병, 고혈압, 결핵성 망막출혈, 지혈, 위장병, 중풍, 불면증, 머리 아픔, 심장병, 알레르기성 여드름, 뾰로지, 번열

효능 | 지사, 건번열

주의 | 『천금, 식치』에서는 "많이 먹으면 숙병(宿病)을 일으킬 수 있고 냉기(冷氣)를 더하게 하며 기침이 잦다." 라고 기록하고 있다.

2011 © 고추나무

속명 | 개절초나무, 미영꽃나무, 매대나무

학명 | Staphylea bumalda

분류 | 쌍떡잎식물 무환자나무목 고추나무과

분포 | 한국, 일본, 중국

형태 | 낙엽 관목 또는 작은 교목

고추나무

서식 산골짜기와 냇가에서 자란다.

줄기 가지는 둥글며 잿빛을 띤 녹색이다.

잎 잎은 마주나고 작은잎은 3개로 달걀 모양 또는 달걀 모양 바소꼴이고 가장자리에 바늘 모양의 잔 톱니가 있다.

꽃
- 5~6월에 가지 끝에 흰꽃이 원추꽃차례로 핀다.
- 꽃받침 · 꽃잎 · 수술은 각각 5개이고, 암술은 1개이며 위쪽에서 2개로 갈라지고 각각 1개의 암술대가 있다.

열매
- 열매는 삭과로 부풀어오른 반원형이며 윗부분이 2개로 갈라지고 9~10월에 익는다.
- 씨방은 2실이며 각각 1~2개의 종자가 들어 있다.
- 종자는 달걀을 거꾸로 세운 모양으로 약간 납작하고 광택이 있는 노란색이다.

이용 어린 잎은 나물로 식용한다.

약용활용

생약명 | 성고유(省沽油)

이용부위 | 열매, 뿌리

채취시기 | 열매-가을(9~10월), 뿌리-봄

주치활용 | 건해, 산후 어혈, 기관지염.

효능 | 지혈, 이뇨

민간활용 | 이뇨, 해독, 종기, 감기, 지혈 등을 치료하는 데에 잎을 사용했다.

2011 © 골담초

학명 | *Caragana sinica*

분류 | 쌍떡잎식물 장미목 콩과

분포 | 한국(경기, 경북, 강원, 황해), 중국

형태 | 낙엽 관목

골담초

서식 산지에서 자란다.

줄기 줄기는 회갈색으로 가시가 뭉쳐나고 5개의 능선이 있으며, 위쪽을 향한 가지는 사방으로 퍼진다.

잎 잎은 어긋나고 홀수 1회 깃꼴겹잎이며 작은잎은 4개로 타원형이다.

꽃
- 꽃은 5월에 1개씩 총상꽃차례로 피며 나비 모양이다.
- 꽃받침은 종 모양으로 위쪽 절반은 황적색이고 아래쪽 절반은 연한 노란색이다.

열매 열매는 협과로 원기둥 모양이고 털이 없으며 9월에 익는다.

약 용 활 용

생약명 | 금작근(金雀根)

이용부위 | 뿌리, 꽃

채취시기 | 뿌리－연중, 꽃－봄(4월)

약성미 | 성질은 약간 따뜻하거나 평하며 맛은 달고 쓰며 독이 없다.

주치활용 | 노열해소, 급성유선염, 타박상, 두통, 이명, 치통, 위장질병, 흰이슬, 월경이 없을 때, 각기, 잠장애, 척수신경근염, 고혈압, 감기

효능 | 뿌리－진통, 소염 꽃－자음, 화혈, 건비

2011 © 광귤나무

학명 | Citrus aurantium var. daidai

분류 | 쌍떡잎식물 쥐손이풀목 운향과

원산지 | 인도

분포 | 한국(제주)

형태 | 상록 관목

광귤나무

서식 집 부근에 심는다.

줄기 잎이 많이 나고 가지에 가시가 있다.

잎
- 잎은 어긋나고 달걀 모양이다.
- 잎 끝이 뾰족하고 물결 모양의 톱니가 있으며 잎자루에 날개가 있다.

꽃
- 5월에 흰색 꽃이 잎겨드랑이에서 총상꽃차례로 1개 또는 몇 개씩 핀다.
- 꽃잎과 꽃받침잎은 각각 5개이며 20~24개의 수술과 1개의 암술이 있다.
- 씨방은 둥글고 녹색이다.

열매 열매는 장과로 둥글면서도 편평하고 10월에 노란 빛을 띤 갈색으로 익는다.

이용
- 종자는 쐐기형 달걀 모양으로 향수나 쓴맛에 향기가 나는 건위약 원료로 쓴다.
- 열매 껍질은 증류해서 짜내 등피유로 쓴다.

약용활용

생약명 | 지각(枳殼)

이용부위 | 열매껍질

채취시기 | 가을(10~11월)

약성미 | 성질은 따뜻하고 맛은 쓰고 맵다.

주치활용 | 구토, 메스꺼움, 소화불량, 트림, 복부창만

효능 | 소화기자극, 소화촉진, 거담, 항궤양, 강심, 혈압상승, 항균작용 등

민간활용 | 열매껍질로 차로 마신다.

2011 © 광나무

학명 | Ligustrum japonicum

분류 | 쌍떡잎식물 용담목 물푸레나무과

분포 | 한국(전남, 경남 이남)

형태 | 상록 관목

광나무

서식 바닷가 낮은 산기슭에서 자란다.

줄기 가지는 회색이고 피목이 뚜렷하다.

잎
- 잎은 마주나며, 질기며 넓은 달걀 모양 또는 달걀 모양 긴 타원형으로 끝이 뾰족하다.
- 잎 뒷면에 희미한 작은 점이 있다.
- 잎자루는 붉은 빛을 띤 갈색이다.

꽃
- 7~8월에 흰색 꽃이 새가지 끝에서 겹총상꽃차례로 핀다.
- 꽃받침은 가장자리가 밋밋하거나 물결 모양 톱니가 있고 수술은 2개이다.

열매 열매는 길고 둥근 핵과로 10~11월에 자줏빛을 띤 검은색으로 익는다.

약 용 활 용

생약명 | 여정실(女貞實)

이용부위 | 열매

채취시기 | 가을(10~11월)

약성미 | 성질은 평하고 맛은 쓰고 달다.

주치활용 | 머리어지럼증, 정력증진, 신경쇠약, 나력이나 결핵성조열, 이명증

효능 | 자양, 허열, 수발

민간활용 | 잎을 삶아서 종기에 바른다.

2011 ⓒ 광대싸리

학명 | Securinega suffruticosa

분류 | 쌍떡잎식물 쥐손이풀목 대극과

원산지 | 한국

분포 | 전국 분포

형태 | 낙엽 활엽 관목

광대싸리

서식 들과 산 양지바른 곳에 자란다.

줄기
- 가지는 끝이 밑이 처지고 갈색이 돈다.
- 줄기는 뭉쳐나며 잔줄이 있다.

잎
- 잎은 어긋나며 막질이고 타원형이다.
- 표면은 녹색이고 뒷면은 흰빛이 돈다. 잎자루에는 턱잎이 있다.

꽃
- 꽃은 암수 딴 그루로 5월 말에서 6월 말에 노랗게 핀다.
- 수꽃은 잎겨드랑이에서 많이 모여 난다.
- 꽃받침조각과 수술은 각각 5개이고 암꽃은 잎겨드랑이에 2~5개씩 달린다.

열매
- 열매는 편구형이며 황갈색으로 익는다.
- 3줄의 홈이 있고 3조각으로 갈라져서 6개의 종자가 나오고, 7~10월에 성숙한다.

이용
- 어린 순은 나물로 먹는다.
- 땔감으로 하며 열량이 높다.

약 용 활 용

생약명 | 일엽추(一葉萩)

이용부위 | 뿌리, 잎

채취시기 | 봄, 가을

약성미 | 성질은 따뜻하고 맛은 맵고 쓰다.

주치활용 | 류머티즘에 의한 요통, 사지마비, 반신불수, 음위, 안면신경마비, 소아마비, 후유증

효능 | 활혈, 서근, 건비, 익신

주의 | 과량 복용하면 securinine계 알칼로이드 성분에 의한 부작용으로 심박급속 · 호흡곤란 · 어지럼증 · 안면창백 · 경련 등 중추 신경계 중독과 유사한 증상이 나타난다.

2011 © 광릉물푸레

학명 | Fraxinus rhynchophylla var. densata (Nakai) Y.N.Lee

분류 | 쌍떡잎식물 용담목 물푸레나무과

분포 | 한국(경기 광릉)

형태 | 낙엽 교목

광릉물푸레

서식 골짜기 숲속에서 자란다.

- 직립으로 자라는 특성이 있으며 소지는 회갈색이고 털이 없으며 동아에 털이 있거나 없다.
- 껍질은 세로로 갈라지는데 흰색의 가로 무늬가 있다.

- 잎은 깃꼴겹잎으로 작은잎은 달걀을 거꾸로 세운 모양 또는 넓은 바소꼴이고 양 끝이 뾰족하다.
- 물결 같은 톱니가 있다.

꽃 꽃은 단성화와 양성화가 함께 나고 5월에 피며 겹총상꽃차례가 새 가지 끝에 달린다.

- 열매는 거꾸로 세운 듯한 바소꼴로 끝이 뾰족하고 가을에 익는다.
- 물푸레나무에 비해 잎의 나비가 약간 좁고 열매 끝이 뾰족하다.

이용 껍질을 약으로 쓴다.

생약명 | 진피(秦皮)

이용부위 | 줄기껍질

채취시기 | 봄, 가을

약성미 | 성질은 차고 맛은 쓰다.

주치활용 | 백내장, 녹내장, 결막염, 통풍, 장염, 대하증

효능 | 장연동운동억제, 혈압상승, 항염, 이뇨, 혈액응고억제

학명 | Lonicera maackii

분류 | 쌍떡잎식물 꼭두서니목 인동과

분포 | 한국, 중국

형태 | 낙엽 관목

괴불나무

서식 산기슭이나 응달진 골짜기에서 자란다.

줄기 줄기는 속이 비어 있고, 잔가지에 곱슬거리는 털이 있으며 겹눈은 달걀 모양이다.

잎
- 잎은 마주나고 달걀 모양 타원형 또는 달걀 모양 바소꼴로 끝이 뾰족하다.
- 잎 표면에는 털이 거의 없으나 뒷면 맥 위에는 털이 많다.
- 잎자루는 선모가 있다.

꽃
- 꽃은 5~6월에 잎겨드랑이에 피는데 작은꽃자루는 선모가 있으며 양쪽 삭은포는 합쳐지고 털이 난다.
- 꽃받침은 5개로 깊게 갈라지고 꽃받침조각 가장자리에 털이 난다.
- 화관은 향기가 나고 흰색에서 노란색으로 변한다.
- 수술대는 밑부분에 털이 있으며 꽃밥은 노란색이다.
- 암술대의 암술머리는 노란빛을 띤 녹색이다.

열매 열매는 장과로 서로 떨어져 있고 둥글며 9~10월에 붉은색으로 익는다.

약용활용

생약명 | 금은인동(金銀忍冬)

이용부위 | 꽃봉우리

채취시기 | 봄(5월)

약성미 | 성질이 차갑고 맛은 달고 쓰며 맵다.

주치활용 | 종기, 악창, 동맥경화증, 간염

효능 | 청열, 해열

민간활용 | 이뇨, 해독, 종기, 감기, 지혈 등에 잎을 약으로 쓴다.

2011 © 구기자나무

학명 | Lycium chinense

분류 | 쌍떡잎식물 통화식물목 가지과

분포 | 한국(진도, 충남), 일본, 타이완, 중국 북동부

형태 | 낙엽 관목

구기자나무

서식 마을 근처의 둑이나 냇가에서 자란다.

줄기
- 줄기는 비스듬히 자라고 끝이 밑으로 처진다.
- 가시가 있으나 없는 것도 있다.
- 잔가지는 노란 빛을 띤 회색이고 털이 없다.

잎
- 잎은 어긋나는데, 여러 개가 뭉쳐나고 넓은 달걀 모양 또는 달걀 모양 바소꼴이다.
- 끝은 뾰족하고 밑부분이 넓거나 좁으며 양면에 털이 없다.

꽃
- 6~9월에 자줏빛 꽃이 1~4개 잎겨드랑이에서 나와서 핀다.
- 화관은 종 모양으로 5갈래로 갈라지며 끝이 뾰족하다.
- 꽃받침은 3~5개로 갈라진다.
- 수술은 5개이고 암술은 1개이다.

열매 열매는 장과로 달걀 모양 또는 타원형으로 8~9월에 붉게 익는다.

이용
- 어린 잎은 나물로 쓰고 잎과 열매는 차로 달여 먹거나 술을 담그기도 한다.
- 잎도 나물로 먹거나 달여 먹으면 같은 효과가 있다.

약 용 활 용

생약명 | 구기자(枸杞子), 지골피(地骨皮)

이용부위 | 열매, 뿌리껍질

채취시기 | 열매 – 익어갈 무렵, 뿌리 – 가을, 겨울

약성미 | 성질은 평하기도 하고 차며 맛은 달고 쓰다.

주치활용 | 폐결핵, 당뇨병

효능 | 강장, 해열제

민간활용 | 구기자로는 술을 담가 강장제로 쓴다.

학명 | Abies koreana

분류 | 겉씨식물 구과목 소나무과

분포 | 한라산, 무등산, 덕유산, 지리산

형태 | 상록 교목

구상나무

서식 산지의 서늘한 숲속에서 자란다.

줄기
- 나무껍질은 잿빛을 띤 흰색이며 노목이 되면 껍질이 거칠어진다.
- 어린 가지는 노란색이나 나중에 갈색이 된다.
- 겨울눈은 둥근 달걀 모양이고 수지가 있다.

잎
- 잎은 줄기나 가지에 바퀴 모양으로 돌려나며 줄 모양 바소꼴이다.
- 겉면은 짙은 녹색, 뒷면은 흰색이다.

꽃
- 꽃은 6월에 피며 암수 한 그루이다.
- 암꽃이삭은 가지 끝에 달리는데, 짙은 자줏빛이며 자라서 타원형의 솔방울이 된다.
- 수꽃이삭은 타원형이다.

열매
- 열매는 구과로 10월에 익는다.
- 원통형이고 초록빛이나 자줏빛을 띤 갈색이다.
- 종자는 달걀 모양이며 날개가 있다.

약용활용

생약명 | 구상과(具常果)

이용부위 | 열매

채취시기 | 가을

약성미 | 성질은 따뜻하고 맛은 맵다.

주치활용 | 고혈압, 두통, 어지럼움증

효능 | 이기, 산결

학명 | Daphniphyllum macropodum

분류 | 쌍떡잎식물 쥐손이풀목 대극과

분포 | 남부지역, 제주도, 거제, 남해, 해남 등지

형태 | 상록 소교목

굴거리

서식 산기슭 숲속에서 자란다.

줄기 잔가지는 굵고 녹색이지만 어린가지는 붉은 빛이 돌며 털이 없다.

잎
- 잎은 타원형으로 어긋나고 가지 끝에 모여 난다.
- 잎 표면은 진한 녹색이고, 뒷면은 회색빛을 띤 흰색이다.
- 잎맥은 12~17쌍으로 고르게 나란히 늘어서고 붉은색 또는 녹색의 긴 잎자루가 있다.

꽃
- 5~6월에 녹색이 돌고 화피가 없는 꽃이 핀다.
- 꽃은 단성화로 잎겨드랑이에 총상꽃차례로 핀다.
- 수꽃에는 8~10개의 수술이 있고 암꽃에는 둥근 씨방에 2개의 암술대가 있으며 씨방 밑에 퇴화한 수술이 있다.

열매 열매는 긴 타원형이고 10~11월에 짙은 파란색으로 익는다.

약 용 활 용

생약명 | 교양목(交讓木)

이용부위 | 잎, 줄기껍질

채취시기 | 수시 채취

주치활용 | 습성 늑막염, 복막염, 관절통, 요통, 발기부전, 불면증

효능 | 청열, 살충, 소종

민간활용 | 즙을 끓여 구충제로 쓴다.

2011 © 굴참나무

학명 | Quercus variabilis

분류 | 쌍떡잎식물 참나무목 참나무과

원산지 | 한국

분포 | 제주도를 제외한 전국

형태 | 낙엽활엽교목

굴참나무

서식 척박하고 건조한 곳에서 잘 자란다.

줄기
- 나무껍질은 코르크질이 두껍다.
- 나무껍질은 노란 빛을 띤 흰색으로 세로로 깊게 갈라진다.

잎
- 잎은 어긋나며 긴 타원형이며 가장자리에 침상의 예리한 톱니와 측백 9~16쌍이 있다.
- 잎자루가 있으며 잎 뒷면은 회백색 별 모양의 털이 밀생한다.

열매 견과, 구형, 뒤로 젖혀진 많은 긴 바늘잎으로 싸이고 나음해 9~10월에 성숙한다.

이용 조림수종, 가구재, 차량재, 나무껍질은 코르크 재료, 열매는 식용한다.

약 용 활 용

생약명 | 청강류(青剛柳)

이용부위 | 열매

채취시기 | 가을

약성미 | 성질은 평하고 맛은 쓰고 시다.

주치활용 | 치창, 악창, 옹저, 혈리, 해수, 수사, 두선, 건위, 수렴, 지리

효능 | 지해, 삽장

민간활용 | 설사 멎는 약으로 쓴다.

2011 © 굴피나무

학명 | Platycarya strobilacea

분류 | 쌍떡잎식물 가래나무목 가래나무과

분포 | 한국(충남 이남), 일본, 타이완, 중국

형태 | 낙엽 소교목

굴피나무

서식 산기슭의 양지바른 곳이나 바닷가 수성암 지대에서 자란다.

잎
- 잎은 홀수깃꼴겹잎이며, 잎자루가 없는 7~19개의 작은잎으로 이루어진다.
- 작은잎은 타원형 바소꼴 또는 달걀 모양 바소꼴로 끝이 뾰족하고 가장자리에 골이 깊은 톱니가 있다.
- 잎의 양면에 흰 털이 있으나 점차 없어진다.
- 꽃자루에도 털이 있으나 점차 없어진다.

꽃
- 5~6월에 노란 빛을 띤 녹색 꽃이 핀다.
- 성숙한 암꽃이삭은 솔방울 모양이다.

잎
- 잎은 호생하며 기수1회 우상복엽으로 13~25매의 소엽으로 되어 있다.
- 소엽은 장난형~난형상피침형으로 점첨두이고 원저에 가깝다.
- 소엽의 하부에 2~4개의 파상거치가 있으며 각 거치의 끝에 선점이 있다.

약 용 활 용

생약명 | 화향수(化香樹)

이용부위 | 잎, 열매

채취시기 | 잎—봄, 열매—가을

약성미 | 성질은 열이 있으며 맛은 맵다.

주치활용 | 근육통, 복통, 치통, 습진, 종창

효능 | 진통, 소종, 거풍

학명 | Prunus padus

분류 | 쌍떡잎식물 장미목 장미과

분포 | 한국, 일본, 중국, 사할린섬, 몽골, 유럽

형태 | 낙엽 교목

귀룽나무

서식 깊은 산골짜기에서 자란다.

줄기 어린 가지를 꺾으면 냄새가 난다.

잎
- 잎은 어긋나고 달걀을 거꾸로 세운 모양 또는 타원형으로 끝이 뾰족하며 밑은 둥글고 가장자리에 잔 톱니가 불규칙하게 있다.
- 잎 표면에는 털이 없고 뒷면에 털이 있다.
- 잎자루는 털이 없고 꿀샘이 있다.

꽃
- 5월에 새 가지 끝에서 흰색 꽃이 총상꽃차례로 핀다.
- 꽃차례는 털이 없고 밑부분에 잎이 있으며 작은꽃자루에도 털이 없다.
- 꽃잎과 꽃받침잎은 각각 5개씩이고 꽃받침에는 털이 없다.

열매 열매는 핵과로 둥글고 6~7월에 검게 익는다.

약용활용

생약명 | 구룡목(九龍木)

이용부위 | 열매, 자지와 잎

채취시기 | 열매–여름(6월), 가지와 잎–연중 수시로

약성미 | 성질은 차고 맛은 달고 쓰다.

주치활용 | 풍습동통, 요퇴통, 관절통, 척추질환, 설사

효능 | 거풍, 진통, 지사

2011 © 귤나무

학명 | Citrus unshiu Markovich

분류 | 쌍떡잎식물 쥐손이풀목 운향과

원산지 | 일본

분포 | 제주

형태 | 상록활엽 소교목

귤나무

줄기 가지가 퍼지며 가시가 없다.

잎
- 잎은 어긋나고 타원형으로 가장자리가 밋밋하거나 물결 모양 잔 톱니가 있다.
- 잎자루의 날개는 뚜렷하지 않다.

꽃
- 꽃은 6월에 흰색으로 핀다.
- 꽃받침조각과 꽃잎은 5개씩이고 수술은 여러 개이며 암술은 1개이다.

열매
- 열매는 노란 빛을 띤 붉은색으로 익는다.
- 과피가 잘 벗겨지고 가운데 축이 비어 있으며, 열매를 날것으로 먹는다.
- 한국에서 가장 흔히 심으며 재배종으로는 조생종, 중생종, 만생종 등 10여 종류가 있다.

이용 열매는 식용한다.

약 용 활 용

생약명 | 진피(陳皮), 청피(青皮)

이용부위 | 열매, 열매껍질

채취시기 | 열매－가을(10월)

약성미 | 성질은 평하고 맛은 쓰다.

주치활용 | 소장산기, 고환종통, 유옹종통, 요통, 방광기통

효능 | 소화촉진, 이뇨, 이기, 산결, 지통

민간활용 | 귤의 씨앗을 새까맣게 태워 이것을 분말로 해서 더운 물로 마시면 담 · 기침에 효과가 있으며 냉으로 음낭이 아픈 데에도 효과가 있다고 한다.

학명 | Ribes fasciculatum var. chinense

분류 | 쌍떡잎식물 장미목 범의귀과

분포 | 한국, 일본, 중국 북동부

형태 | 낙엽 관목

까마귀밥나무

서식 산지 계곡의 나무 밑에서 자란다.

줄기 가지에 가시가 없으며 나무껍질은 검은 홍자색 또는 녹색이다.

잎
- 잎은 어긋나고 둥글며 3~5개로 갈라지고 뭉툭한 톱니가 있다.
- 잎 앞면에는 털이 없으나 뒷면과 잎자루에는 털이 난다.

꽃
- 꽃은 양성화로 잎겨드랑이에 여러 개 달리는데, 4~5월에 노란색으로 핀다.
- 수꽃은 꽃자루가 길고 꽃받침통이 술잔 모양이며, 꽃받침잎은 노란색이고 달걀 모양 타원형이다.
- 꽃잎은 삼각형으로 젖혀지며 달걀을 거꾸로 세운 모양이다.
- 씨방은 1실이고 달걀을 거꾸로 세운 모양이다.

열매
- 열매는 장과로 둥글고 9~10월에 붉게 익으며 쓴맛이 난다.
- 10여 개의 종자가 들어 있는데, 달걀 모양이며 겉이 끈적끈적하고 연노란색이다.

약용활용

생약명 | 칠해목(漆解木)

이용부위 | 뿌리, 열매

채취시기 | 가을

약성미 | 성질은 따뜻하고 맛은 맵다.

주치활용 | 감기, 생리불순, 옻나무 독

효능 | 해독, 해표, 해열. 해독

2011 © 꽃치자

학명 | Gardenia jasminoides var. radicans

분류 | 쌍떡잎식물 꼭두서니목 꼭두서니과

원산지 | 중국

형태 | 상록활엽 관목

꽃치자

서식 남부 지방에서 흔히 심는다.

줄기 가지가 많다.

잎
- 잎은 마주나고 긴 타원 모양 또는 거꾸로 세운 바소꼴이다.
- 끝이 뾰족하며 털이 없고 윤이 나며, 잎 가장자리는 톱니가 없고 밋밋하며, 잎자루는 짧다.

꽃
- 꽃은 7~8월에 흰색으로 피고, 가지 끝에 있는 작은꽃자루에 달린다.
- 꽃받침통은 희미한 6개의 모서리각이 있으며 끝이 6~7개로 갈라지고 그 조각은 가늘고 길다.
- 화관 조각은 6~7개로 긴 달걀을 거꾸로 세운 모양이고 수술은 6~7개이다.

열매 열매는 모서리각이 있고 9월에 주황색으로 익는다.

이용 열매는 염료로도 사용한다.

약용활용

생약명 | 치자(梔子)

이용부위 | 열매, 뿌리, 잎

채취시기 | 열매—가을, 뿌리 · 잎—수시

약성미 | 성질은 차고 맛이 쓰며 독이 없다

주치활용 | 열병, 허번, 불면, 황달, 임병, 소갈, 결막염, 토혈, 비출혈, 혈리, 혈뇨, 열독, 창양, 좌상통

효능 | 청열, 사화, 양혈

민간활용 | 다치고 삔 데 쓰이는데, 대개는 곱게 가루로 만들어 밀가루에 개었다가 환부에 붙인다.

주의 | 비허로 연변한 자는 복용을 피한다. 급한 토혈, 비출혈이 양화가 원인이 아닌 자도 복용해서는 안 된다.

2011 © 꽝꽝나무

학명 | Ilex crenata

분류 | 쌍떡잎식물 무환자나무목 감탕나무과

분포 | 제주, 경남, 전남, 전북

형태 | 상록활엽 관목

꽝꽝나무

서식 바닷가 옆 산기슭에서 자란다.

줄기 나무껍질은 회색이고, 가지와 잎은 무성하다.

잎
- 잎은 어긋나고 달걀을 거꾸로 세운 모양 또는 긴 타원 모양으로 양쪽이 뾰족하며 가장자리에 가는 톱니가 있다.
- 앞면은 윤이 나고 짙은 녹색이며, 뒷면은 연한 녹색이고 작은 선점이 있다.

꽃
- 꽃은 암수 딴 그루이고 5~6월에 핀다.
- 수꽃은 잎겨드랑이에서 나온 짧은 총상꽃차례 또는 복총상꽃차례에 3~7개씩 달리고 퇴화된 암술이 있다.
- 암꽃은 잎겨드랑이에서 나온 긴 꽃자루 끝에 1개씩 달리고 퇴화된 4개의 수술과 1개의 씨방이 있다.
- 수꽃과 암꽃은 모두 흰색이고 꽃받침조각이 4개이다.

열매 열매는 핵과로 10월에 검게 익는다.

이용 수피 점액은 파리를 잡는 데 사용한다.

약용활용

생약명 | 파연동청(波緣冬青)

주치활용 | 끈끈한 점액질로 파리를 잡는 데 쓰거나 반창고용으로 이용

2011 © 꾸지뽕나무

학명 | Cudrania tricuspidata (Carr.) Bureau ex Lavallee

분류 | 쌍떡잎식물 쐐기풀목 뽕나무과

분포 | 한국

형태 | 낙엽 활엽 소교목 또는 관목

꾸지뽕나무

줄기
- 수피는 회갈색으로 벗겨지고 가지가 변형된 가시가 있으며 소지에 털이 있다.
- 가지에 피목이 발달되어 있고 오래된 수피는 황회색을 띠며 세로로 찢어져 떨어진다.

잎
- 잎은 호생하며 2~3개로 갈라지는 것과 가장자리가 밋밋하고 난형인 것이 있다.
- 갈라지는 잎은 둔두 원저이며 가장자리가 밋밋한 것은 예두이고 넓은 예저이다.
- 표면에 잔털이 있고 뒷면에는 융모가 있다.
- 엽병은 털이 있다.

꽃
- 꽃은 이가화로서 5~6월에 핀다.
- 웅화서는 소화가 많이 모여 달리고 둥글며 황색이다.
- 짧고 연한 털이 밀포한 대가 있다.
- 자화서는 타원형이다.
- 수꽃은 3~5개의 화피 열편과 4개의 수술이 있고 암꽃은 4개의 화피 열편과 2개로 갈라진 암술대가 있다.

열매 열매는 취과로 둥글며 육질이고 9~10월에 적색으로 성숙하며 수과는 흑색이다.

이용 과육은 달고 식용가능하다.

약 용 활 용

생약명 | 자목(柘木), 자목백피(柘木白皮), 자수경엽(柘樹莖葉)

이용부위 | 줄기

채취시기 | 가을(10월)

약성미 | 성질은 따뜻하고 맛은 달고 독이 없다.

주치활용 | 붕중, 혈결

효능 | 보신고정, 양혈서근, 소염, 활혈

2011 © 낙상홍

학명 | Ilex serrata

분류 | 쌍떡잎식물 감탕나무목 감탕나무과

원산지 | 일본

형태 | 낙엽관목

낙상홍

서식 낙상홍은 추위에 강하기 때문에 경기 지방에서는 관상용으로 심는다.

잎
- 잎은 어긋나고 타원형이다.
- 잎 끝이 뾰족하고 가장자리에 잔 톱니가 있다.

꽃
- 꽃은 2가화로 6월 경 잎겨드랑이에 모여 달리며 연한 자줏빛이다.
- 꽃의 부분은 각각 4~5개씩이고 수꽃에는 암술이 없다.

열매 열매는 둥글고 붉게 익는데, 잎이 떨어진 다음에도 빨간 열매가 다닥다닥 붙어 있어 낙상홍이라고 부른다.

약 용 활 용

생약명 | 낙상홍(落霜紅)

이용부위 | 뿌리껍질, 잎

채취시기 | 가을(10월)

약성미 | 맛은 약간 쓰다.

주치활용 | 화상, 외상출혈, 피부궤양

효능 | 청열, 해독, 양혈, 지혈

민간활용 | 화상에 짓찧어서 붙이면 열을 내리고 염증을 방지한다.
외상출혈에는 환부에 붙여서 지혈시키고 피부궤양에도 활용한다.

2011 © 낙우송

속명 | Taxodium distichum

학명 | 겉씨식물 구과목 낙우송과

원산지 | 미국

분포 | 전세계

형태 | 낙엽침엽 교목

낙우송

줄기
- 줄기는 끝으로 갈수록 점점 가늘어진다.
- 붉은색을 띠는 갈색의 수피(樹皮)는 비바람을 맞으면 잿빛으로 변한다.

전체
- 나무껍질은 붉은색을 띤 갈색이고 작은 조각으로 벗겨진다.
- 전체적인 나무 모양은 피라미드형이며 뿌리가 세차게 뻗는다.
- 어린 가지는 녹색이며 털이 없다.

잎
- 잎은 깃꼴로 갈라지고 줄 모양으로 뾰족하며 작은잎은 어긋난다.
- 잎 뒷면에는 기공선이 있으며 밝은 녹색이다.

꽃
- 꽃은 4~5월에 원추꽃차례로 피는데, 수꽃이삭은 처진다.
- 꽃은 자줏빛이고 암꽃은 둥글다.

열매 열매는 구과로 공 모양이고 9월에 익는다.

약용활용

생약명 | 낙우삼(落羽杉)

이용부위 | 종자

채취시기 | 가을(9~10월)

약성미 | 성질은 차고 맛은 쓰다.

주치활용 | 장염, 폐렴, 코와 인후의 암종

민간활용 | 피부종기와 악창에 짓찧어서 환부에 붙인다.

2011 © 남천

학명 | Nandina domestica

분류 | 쌍떡잎식물 이판화과 미나리아재비목 매자나무과

원산지 | 중국

형태 | 상록관목

남천

서식 남부 지방에서는 정원에 심으며 북부 지방에서는 분재로 기르고 있다.

줄기 밑에서 여러 대가 자라지만 가지는 치지 않고 목질은 황색이다.

잎
- 잎은 딱딱하고 톱니가 없으며 3회 깃꼴겹잎이다.
- 또한 엽축에 마디가 있다.
- 작은잎은 대가 없고 타원형의 바소꼴이며 끝이 뾰족하다.

꽃 6~7월에 흰색의 양성화가 가지 끝에 원주꽃차례로 달린다.

열매 열매는 둥글고 10월에 빨갛게 익기 때문에 관상용으로 많이 심는다.

약 용 활 용

생약명 | 남천실(南天實), 남천죽자, 남천죽엽, 남천죽근

이용부위 | 열매, 잎, 뿌리

채취시기 | 열매–가을~겨울, 잎 · 줄기 · 뿌리–가을

약성미 | 성질은 평하고 맛은 쓰고 독이 있다.

주치활용 | 열매–해수, 천식, 백일해. 잎–감기, 기침, 백일해. 뿌리–발열, 두통

효능 | 거풍, 청열, 제습, 화담, 지해, 청간, 명목, 지해정천, 강장, 홍분

2011 © 낭아초

학명 | Indigofera pseudo-tinctoria

분류 | 쌍떡잎식물 이판화군 장미목 콩과

분포 | 한국(경남, 경북, 전북), 일본, 중국

형태 | 낙엽활엽 반관목

낭아초

서식 바닷가에서 자란다.

줄기 가지를 많이 쳐서 옆으로 자라며, 작은 가지에는 복모가 있고 가늘다.

꽃
- 잎은 어긋나고 홀수1회 깃꼴겹잎이다.
- 작은잎은 5~11개이고 거꾸로 선 달걀 모양의 타원형, 타원형 또는 긴 타원형이다.
- 꽃은 7~8월에 연한 분홍색으로 피는데, 많은 꽃이 잎겨드랑이에 총상꽃차례로 달린다.

열매 열매는 삭과로 원기둥 모양이나.

이용 꽃은 화초로 심을 수 있고 뿌리는 약으로 쓴다.

약용활용

- 생약명 | 일미약(一味藥)
- 이용부위 | 전초
- 채취시기 | 가을(9~10월)
- 약성미 | 성질은 따뜻하고 맛은 약간 짜다.
- 주치활용 | 코피, 학질, 간암, 대장암, 방광암, 식도암, 자궁암
- 효능 | 이수, 소창
- 민간활용 | 외용은 짓찧어서 붙인다. 술에 담가 복용한다.

학명 | Stewartia koreana

분류 | 쌍떡잎식물 물레나물목 차나무과

분포 | 한국(전남, 전북, 경남)

형태 | 낙엽활엽 교목

노각나무

서식 산 중턱 이상에서 자란다. 내한성 및 내음성이 강하여 나무 밑이나 그늘, 해변가에서도 잘 자란다.

줄기 나무껍질은 흑적갈색으로 큰 조각으로 벗겨져 오래 될수록 배롱나무처럼 미끈해진다.

잎
- 잎은 어긋나고 타원형 또는 넓은 타원형이며 끝은 뾰족하고 밑은 둥글거나 뭉뚝하다.
- 가장자리에 물결 모양의 톱니가 있다.

꽃
- 꽃은 양성으로 6~7월에 백색으로 피며 새 가지의 밑동 겨드랑이에 달린다.
- 포는 달걀 모양 또는 둥근 모양이다.
- 꽃받침은 둥글고 융모가 있으며, 꽃잎은 달걀을 거꾸로 세운 모양이고 5~6개이다.
- 암술대는 5개로 갈라져 합쳐지고 수술은 5개이다.

열매 열매는 삭과로 10월에 익고 5각뿔형이다.

약용활용

생약명 | 모란(帽蘭)

이용부위 | 뿌리껍질

채취시기 | 가을~겨울

약성미 | 성질은 서늘하고 맛은 맵고 쓰다.

주치활용 | 타박상, 풍습마목

효능 | 서근, 활혈

2011 © 노간주나무

학명 | *Juniperus rigida*

분류 | 겉씨식물 구과목 측백나무과

분포 | 한국, 일본, 중국, 몽골, 시베리아(헤이룽 강 유역)

형태 | 상록침엽 교목

노간주나무

서식 산기슭의 양지쪽 특히 석회암 지대에서 잘 자란다.

줄기
- 이 직립하며 나무껍질이 갈색으로 길게 세로로 얕게 갈라지고 2년지는 다갈색이다.
- 일년생 가지는 황갈색으로 노목에서는 드리워진다.

잎 잎은 좁은 줄 모양으로 세모 나고 3개가 돌려나며 끝은 뾰족하고 겉면 가운데에 흰색의 좁은 홈이 있다.

꽃
- 꽃은 5월에 피는데 초록빛을 띤 갈색 꽃이 묵은 가지의 잎겨드랑이에 달린다.
- 수꽃은 1~3개씩 피고 20개 정도의 비늘조각이 있으며 밑쪽에 4~5개의 꽃밥이 달린다.
- 암꽃은 1개씩 피고 둥근 모양이며 9개의 열매조각이 있고 3개의 심피로 되며 그 안에 3개의 밑씨가 있다.

열매
- 열매는 구과로 다음해 10월에 검은 빛을 띤 갈색으로 익는데, 공 모양이다.
- 흰 분비물이 남아 있고 3개의 돌기가 있으며 달콤한 맛이나 약간 쓰다.

이용 열매는 식용한다.

약용활용

생약명 | 두송실(杜松實)

이용부위 | 열매

채취시기 | 가을(10월)

약성미 | 성질은 따뜻하고 맛은 달고 쓰고 독이 없다.

주치활용 | 중풍, 고혈압, 관절염, 신경통, 발한, 이뇨, 류머티즘

효능 | 이뇨, 거풍, 제습

학명 | Symplocos chinensis for. pilosa

분류 | 쌍떡잎식물 감나무목 노린재나무과

분포 | 한국, 일본, 중국, 히말라야산맥

형태 | 낙엽활엽 관목 또는 소교목

노린재나무

서식 산과 들에서 자란다.

줄기 나무껍질은 세로로 갈라지고 가지는 퍼져 나며 작은 가지에 털이 난다.

잎
- 잎은 어긋나고 타원형 또는 긴 타원형의 달걀을 거꾸로 세워 놓은 모양이며 노란색이다.
- 끝으로 갈수록 점차 뾰족해진다.
- 잎 앞면은 짙은 녹색이고 털이 없으며, 뒷면에는 털이 나거나 없고 작은 톱니가 있으나 때로 뚜렷하지 않다.

꽃
- 5월에 흰꽃이 피는데, 새가지 끝에 원추꽃차례를 이룬다.
- 포는 줄 모양이며 막질로 일찍 떨어진다.
- 꽃받침과 화관은 5갈래로 갈라진다.
- 꽃대에는 털이 나고 꽃잎은 긴 타원형이며 수술은 여러 개이다.

열매 열매는 타원형이고 9월에 짙은 파란색으로 익는다.

약용활용

생약명 | 화산반(華山礬)

이용부위 | 뿌리

채취시기 | 수시

약성미 | 성질은 서늘하고 맛은 쓰다.

주치활용 | 감기, 오한, 뼈와 근육의 통증, 학질, 이질, 설사, 창상출혈

효능 | 해열, 청열이습, 지혈

2011 © 노박덩굴

학명 | Celastrus orbiculatus

분류 | 쌍떡잎식물 무환자나무목 노박덩굴과

분포 | 한국, 중국, 일본, 쿠릴열도 등지

형태 | 낙엽활엽 덩굴나무

노박덩굴

서식 산과 들의 숲속에서 자란다.

줄기 가지는 갈색 또는 잿빛을 띤 갈색이다.

잎
- 잎은 타원형이거나 둥근 모양이고 끝은 뾰족하며 밑부분은 둥글고 톱니가 있다.
- 턱잎은 갈고리 모양이다.

꽃
- 꽃은 2가화 또는 잡성화이며 5~6월에 핀다.
- 빛깔은 노란 빛을 띤 녹색이며 취산꽃차례로 잎겨드랑이에서 나와 1~10송이씩 달린다.
- 꽃받침조각과 꽃잎은 각각 5개이고 수꽃에 5개의 긴 수술이 있다.

열매
- 열매는 삭과로 공 모양이다.
- 10월에 노란색으로 익으며 3개로 갈라지고, 종자는 노란 빛을 띤 붉은색의 가종피에 싸여 있다.

이용 봄에 어린 잎을 나물로 먹고 종자는 기름을 짜며 나무껍질로는 섬유를 뽑는다.

약용활용

생약명 | 남사등(南蛇藤)

이용부위 | 줄기

채취시기 | 가을, 이른봄

약성미 | 성질은 따뜻하고 맛은 약간 맵고 독이 없다.

주치활용 | 요통, 이질, 장염, 치질, 타박상, 사지마비, 치통, 구통, 소아경기, 마비

효능 | 근골강화, 해독작용, 거풍습, 활혈맥, 소종

학명 | Clerodendron trichotomum

분류 | 쌍떡잎식물 통화식물목 마편초과

분포 | 한국(황해, 강원 이남), 일본, 타이완, 중국 등지

형태 | 낙엽활엽 관목

누리장나무

서식 산기슭이나 골짜기의 기름진 땅에서 자란다.

줄기 줄기에는 누린내가 난다.

잎
- 잎은 마주나고 달걀 모양이며 끝이 뾰족하다.
- 밑은 둥글고 가장자리에 톱니가 없으며 양면에 털이 난다.
- 겉에는 털이 없으나 뒷면에는 털이 난다.

꽃
- 꽃은 양성화로 8~9월에 엷은 붉은색으로 핀다.
- 취산꽃차례로 새 가지 끝에 달리며 강한 냄새가 난다.
- 꽃받침은 붉은 빛을 띠고 5개로 깊게 갈라지며 그 조각은 달걀 모양 또는 긴 달걀 모양이다.
- 화관은 5개로 갈라진다.

열매 열매는 핵과로 둥글며 10월에 짙은 파란 빛으로 익는다.

이용 어린 잎은 나물로 먹고 꽃과 열매가 아름다워 관상용으로 심는다.

약용활용

생약명 | 해주상산(海州常山)

이용부위 | 줄기, 잎

채취시기 | 가을

약성미 | 성질은 서늘하고 맛은 시고 쓰며 달고 독이 없다.

주치활용 | 류머티즘에 의한 비통, 반신불수, 고혈, 편두통, 말라리아, 이질, 치창, 옹저창개

효능 | 거풍습, 지통, 강혈압

민간활용 | 버짐에 잎과 가지를 잘게 썰어 달인 물로 환부를 씻는다.

주의 | 내풍으로 인한 반신불수가 아닌 자는 사용을 금한다.
독성은 심하지 않으나 과량 복용하면 구토 또는 약간의 신장 장애를 일으킬 수 있으므로 과량 또는 장기 복용은 삼가도록 한다.

2011 © 느릅나무

학명 | Ulmus davidiana var. japonica

분류 | 쌍떡잎식물 쐐기풀목 느릅나무과

분포 | 한국, 일본, 사할린, 쿠릴열도, 중국 북부, 동시베리아

형태 | 낙엽활엽 교목

느릅나무

줄기 나무껍질은 회갈색이고, 작은 가지에 적갈색의 짧은 털이 있다.

잎
- 잎은 어긋나고 넓은 달걀을 거꾸로 세운 모양 또는 달걀을 거꾸로 세운 모양의 타원형이다.
- 끝이 갑자기 뾰족해지고 잎 가장자리에 겹톱니가 있다.
- 잎 앞면은 거칠고 뒷면 맥 위에는 짧고 거센 털이 나 있다.
- 잎자루는 털이 있다.

꽃
- 꽃은 암수 한 그루이고 3월에 잎보다 먼저 피며 잎겨드랑이에 취산꽃차례를 이루며 7~15개가 모여 달린다.
- 화관은 종 모양이다.

열매 열매는 시과이고 달걀을 거꾸로 세운 모양 또는 타원 모양이며 5~6월에 익으며 날개가 있다.

이용 봄에 어린 잎은 식용한다.

약 용 활 용

생약명 | 유백피

이용부위 | 뿌리껍질

채취시기 | 여름(7~8월)

약성미 | 성질은 평하고 맛은 달고 독이 없다.

주치활용 | 신경성 피부염, 종기, 종창, 위궤양, 십이지장궤양, 소장궤양, 대장궤양, 위암, 소변불통, 축농증, 비염

효능 | 치습, 자수보제, 소종독

2011 © 느티나무

학명 | Zelkova serrata

분류 | 쌍떡잎식물 쐐기풀목느릅나무과

분포 | 한국(평남, 함남 이남지역), 일본, 몽골, 중국, 시베리아, 유럽

형태 | 낙엽활엽 교목

느티나무

서식 산기슭이나 골짜기 또는 마을 부근의 흙이 깊고 진 땅에서 잘 자란다.

줄기
- 굵은 가지가 갈라지고, 나무껍질은 회백색이고 늙은 나무에서는 비늘처럼 떨어진다.
- 피목은 옆으로 길어지고, 어린 가지에 잔털이 빽빽이 있다.

잎
- 잎은 어긋나고 긴 타원 모양 또는 달걀 모양이다.
- 표면이 매우 거칠거칠하며 끝이 점차 뾰족해진다.
- 잎가장자리에 톱니가 있고, 잎맥은 주맥에서 갈라진 8~18쌍의 측맥이 평행을 이루며, 잎자루는 매우 짧다.

꽃
- 꽃은 암수 한 그루이고 5월에 취산꽃차례를 이루며 핀다.
- 수꽃은 어린 가지의 밑부분 잎겨드랑이에 달리고, 암꽃은 윗부분 잎겨드랑이에 달린다.
- 수꽃의 화피는 4~6개로 갈라지고, 수술은 4~6개이다.
- 암꽃은 퇴화된 수술과 암술대가 2개로 갈라진 암술이 있다.

열매 열매는 핵과로 일그러진 납작한 공 모양이고 딱딱하며 뒷면에 모가 난 줄이 있으며 10월에 익는다.

약용활용

생약명 | 괴목(槐木)

이용부위 | 꽃, 열매, 껍질

채취시기 | 가을

약성미 | 성질은 차고 맛은 쓰며 시고 짜고 독이 없다.

주치활용 | 치질, 자궁의 출혈, 장의 출혈, 코피, 고혈압, 중풍

효능 | 강장, 안태, 안산, 부종, 이뇨

민간활용 | 수피—완하제, 강장, 안태, 안산, 부종, 이뇨 등으로 쓰인다.
잎—종기를 치료하는데 사용한다.
열매—눈이 밝아지고 흰머리가 검게 된다.

2011 © 능소화

학명 | Campsis grandiflora

분류 | 쌍떡잎식물 통화식물목 능소화과

원산지 | 중국

형태 | 낙엽성 덩굴식물

능소화

줄기 가지에 흡착근이 있어 벽에 붙어서 올라간다.

꽃
- 잎은 마주나고 홀수 1회 깃꼴겹잎이다.
- 작은잎은 7~9개로 달걀 모양 또는 달걀 모양의 바소꼴이다.
- 끝이 점차 뾰족해지고 가장자리에는 톱니와 더불어 털이 있다.

잎
- 꽃은 6월 말~8월 말 경에 피고 가지 끝에 원추꽃차례를 이루며 5~15개가 달린다.
- 꽃의 색은 귤색인데, 안쪽은 주황색이다.
- 꽃받침은 5개로 갈라지며, 갈라진 조각은 바소 모양이고 끝이 뾰족하나.
- 화관은 깔때기와 비슷한 종 모양이다.
- 수술은 4개 중 2개가 길고, 암술은 1개이다.

열매 열매는 삭과이고 네모지며 2개로 갈라지고 10월에 익는다.

약 용 활 용

생약명 | 능소화(凌霄花)

이용부위 | 전체

채취시기 | 여름(6~8월)

약성미 | 성질은 차고 맛은 시고 독이 없다.

주치활용 | 여성의 혈어경폐, 징하적취

효능 | 양혈, 거어

주의 | 기혈허약인이나 임부의 복용을 금함

2011 © 능수버들

속명 | 고려수양

학명 | Salix pseudo-lasiogyne

분류 | 쌍떡잎식물 버드나무목 버드나무과

분포 | 한국, 중국

형태 | 낙엽활엽 교목

능수버들

서식 들이나 물가에서 자라며 가로수 또는 풍치수로 흔히 심는다.

줄기 가지는 길게 늘어지며 나무 껍질은 회색을 띤 갈색이고 작은 가지는 황록색이다.

잎
- 잎은 바소 모양 또는 좁은 바소 모양으로 양끝이 뾰족하고 가장자리에 잔 톱니가 있다.
- 잎 앞면은 녹색이고 뒷면은 흰색이 돈다.

꽃
- 꽃은 암수 딴 그루이지만 드물게 암수 한 그루인 경우도 있고 4월에 피며 미상꽃차례를 이룬다.
- 꽃대에 털이 있으며, 포는 타원 모양이다.
- 수술과 꿀샘이 2개씩 있고, 수술대 밑부분에 털이 있다.
- 포는 달걀 모양으로 녹색이며 털이 있고 꿀샘이 1개 있다.
- 씨방은 달걀 모양이고 털이 있으나 암술대에는 털이 없으며 암술머리가 2개이다.

열매 열매는 삭과이고 비단 같은 털이 있으며 여름에 익는다.

약용활용

생약명 | 유지(柳枝)

이용부위 | 줄기, 잎

채취시기 | 수시

약성미 | 성질은 차며 맛은 쓰고 독이 없다.

주치활용 | 불임, 간염, 치통

효능 | 해열, 진통

2011 © 능수벚나무

학명 | Prunus leveilleana var. pendula

분류 | 장미과

분포 | 한국 특산종으로 서울 우이동에 야생한다.

형태 | 낙엽활엽 관목

능수벚나무

서식 마을 부근이나 산기슭에서 자란다.

줄기 개벚나무에 비하여 가지는 밑으로 늘어진다.

잎 잎은 타원형 또는 도란상 타원형이고 끝은 뾰족하며 날카로운 톱니가 있다.

꽃 꽃은 산방꽃차례로서 담홍색이며 6월에 핀다.

열매 과실은 핵과로서 구형이며, 6월에 검붉게 익는다.

이용 과실은 식용, 수피는 약용 및 세공업용으로 쓰인다.

약 용 활 용

이용부위 | 수피

채취시기 | 여름(7~8월)

약성미 | 성질은 약간 차며 맛은 쓰고 맵다.

주치활용 | 폐열을 내리므로 해수와 천식에 유효, 홍역

학명 | Actinidia arguta

분류 | 쌍떡잎식물 측막태좌목 다래나무과

분포 | 한국, 일본, 중국 만주, 우수리강 유역, 사할린 등지

형태 | 낙엽 덩굴나무

다래나무

서식 깊은 산의 숲속에서 자란다.

줄기
- 줄기의 골속은 갈색이며 계단 모양이다.
- 어린 가지에 잔털이 있으며 피목(皮目)이 뚜렷하다.

잎
- 잎은 어긋난다.
- 넓은 난형이거나 넓은 타원형 또는 타원형으로 끝이 급하게 뾰족하고 밑은 둥글다.
- 앞면에는 털이 없고 뒷면 맥 위에 갈색 털이 났다가 없어진다.
- 잎가장자리에는 톱니가 있다.

꽃
- 꽃은 2가화로 5월에 백색으로 피는데, 취산꽃차례를 이루고 3~10개의 꽃이 달린다.
- 수꽃에는 많은 수술이 있고 암꽃에는 1개의 암술만이 있으며 암술 끝은 여러 갈래로 갈라진다.

열매 열매는 난상 원형으로 10월에 황록색으로 익으며 맛이 좋다.

이용 어린 잎은 나물로 하고, 열매는 생식하거나 과즙 · 과실주 · 잼 등을 만든다.

약 용 활 용

생약명 | 미후리(獼猴梨)

이용부위 | 열매

채취시기 | 가을(10월)

약성미 | 성질은 차고 맛은 시고 달며 독이 없다.

주치활용 | 소화불량, 구토, 복사, 황달, 류머티즘에 의한 관절염

효능 | 건위, 청열, 이습

민간활용 | 가지와 잎은 그늘에 말려 살충에 사용한다.

학명 | Maackia amurensis

분류 | 쌍떡잎식물 장미목 콩과

분포 | 한국, 중국(만주), 우수리강 유역

형태 | 낙엽활엽 교목

다릅나무

서식 산에서 자란다.

줄기 나무껍질은 엷은 녹갈색이고 광택이 있다.

잎
- 잎은 어긋나며 홀수 1회 깃꼴겹잎이다.
- 작은잎은 타원 모양 또는 긴 달걀 모양이며 끝이 뾰족하며 밑부분이 둥글고 가장자리가 밋밋하다.

꽃
- 꽃은 7월에 흰색으로 피고 가지 끝에 총상꽃차례 또는 원추꽃차례를 이루며 달린다.
- 꽃받침은 4개로 얕게 갈라지고, 갈라진 조각은 삼각형이다.
- 기판은 긴 타원 모양이고 끝이 오목하며, 익판은 끝이 둥글고, 용골판은 긴 타원 모양이다.
- 수술은 10개이다.

열매
- 열매는 협과이며 넓은 줄 모양의 꼬투리이고 9월에 익는다.
- 종자는 콩팥 모양이다.

이용
- 목재는 결이 아름답고 무거우며 질겨서 기구재, 기계재, 차량재, 농기구의 자루, 땔감 등으로 쓰인다.
- 한방에서 가지를 양괴라는 약재로 쓰는데, 관절염에 물을 넣고 달여서 복용한다.

약용활용

생약명 | 조선괴(朝鮮槐)

이용부위 | 꽃

채취시기 | 여름(7월)

약성미 | 성질은 서늘하고 맛은 쓰고 맵다.

주치활용 | 임파성 질병, 저항증, 갑상선(암), 생리불순
편두통, 장풍혈변, 혈뇨, 치질, 적백리, 고혈압, 지혈

효능 | 항암, 진통

민간활용 | 민간약으로 꽃은 혈압강하를 목적으로 사용한다.

학명 | Raphiolepis umbellata

분류 | 쌍떡잎식물 장미목 장미과

분포 | 한국(제주, 전남, 경남), 일본, 대만

형태 | 상록활엽 관목

다정큼나무

서식 해안에서 자란다.

줄기
- 줄기는 곧게 서며 가지가 돌려난다.
- 어린 가지에 갈색 솜털이 덮여 있지만 곧 없어진다.

잎
- 잎은 어긋나지만 가지 끝에서 모여난 것처럼 보인다.
- 긴 타원 모양이거나 달걀을 거꾸로 세운 모양의 긴 타원형이다.
- 끝이 둔하고 밑 부분이 좁아져서 잎자루와 연결된다.
- 잎 가장자리는 둔한 톱니가 있고 약간 뒤로 말린다.
- 잎 앞면은 짙은 녹색이고 뒷면은 흰빛이 도는 연한 녹색이다.

꽃
- 꽃은 4~6월에 흰색으로 피고 가지 끝에 원추꽃차례를 이루며 달린다.
- 꽃받침조각은 5개로 달걀 모양 또는 달걀 모양의 바소꼴이다.
- 꽃잎은 5개이고 달걀을 거꾸로 세운 모양이다.
- 꽃자루와 꽃받침에는 갈색 털이 있으나 차츰 없어진다.
- 수술은 20개이고, 암술대는 2개이다.

열매 매는 이과로 둥글고 윤기가 있고 가을에 검게 익는다.

이용 관상용으로 많이 심고, 나무 껍질과 뿌리는 생사(生絲)를 염색하는 데 쓰인다.

약 용 활 용

생약명 | 차륜매(車輪梅), 지갑화(指甲花)

이용부위 | 뿌리, 줄기, 잎

채취시기 | 여름

주치활용 | 궤양성홍종, 질타손상

효능 | 소염, 기통

민간활용 | 염증을 가라앉히고, 통증을 가라앉히는 효능이 있다.

2011 © 닥나무

학명 | *Broussonetia kazinoki*

분류 | 쌍떡잎식물 쐐기풀목 뽕나무과

분포 | 아시아

형태 | 낙엽활엽 관목

닥나무

서식 산기슭의 양지쪽이나 밭둑에서 자란다.

줄기 작은 가지에 짧은 털이 있으나 곧 없어지며, 나무껍질은 회갈색이다.

잎
- 잎은 어긋난다.
- 달걀 모양 또는 긴 달걀 모양이고 끝부분이 길고 뾰족하며 밑부분은 둥글다.
- 잎가장자리는 톱니가 있고 2~3개로 깊게 패어 들어갔다.
- 앞면은 거칠고 뒷면에는 짧은 털이 있으나 곧 없어진다.
- 잎자루는 꼬부라진 털이 있으나 점차 없어진다.

꽃
- 꽃은 암수 한 그루이고 봄에 잎과 같이 핀다.
- 수꽃이삭은 타원 모양이고 어린 가지 밑부분에 달린다.
- 수꽃의 화피 조각과 수술은 각각 4개이다.
- 암꽃이삭은 둥글고 가지 윗부분의 잎겨드랑이에 달린다.
- 암꽃의 화피는 통 모양이고 끝이 2~4개로 갈라진다.
- 씨방에 실 같은 암술대가 있다.

열매 열매는 핵과이고 둥글며 10월에 붉은 빛으로 익는다.

이용 어린 잎은 식용한다.

약용활용

생약명 | 구피마(構皮麻)

이용부위 | 뿌리, 줄기

채취시기 | 여름, 가을

약성미 | 성질은 차고 맛은 달고 독이 없다.

주치활용 | 류머티즘에 의한 비통, 타박상, 부종, 피부염

효능 | 거풍, 이뇨, 활혈

민간활용 | 몸에 든 풍을 제거할 때 구피마를 달여 썼다.

학명 | Acer palmatum

분류 | 쌍떡잎식물 무환자나무목 단풍나무과

분포 | 한국(제주, 전남, 전북), 일본

형태 | 낙엽활엽 교목

단풍나무

서식 산지의 계곡에서 자란다.

줄기 작은 가지는 털이 없으며 붉은 빛을 띤 갈색이다.

잎
- 잎은 마주나고 손바닥 모양으로 5~7개로 깊게 갈라진다.
- 갈라진 조각은 넓은 바소 모양이고 끝이 뾰족하며 가장자리에 겹톱니가 있다.
- 잎자루는 붉은 색을 띤다.

꽃
- 꽃은 수꽃과 양성화가 한 그루에 핀다. 5월에 검붉은 빛으로 피고 가지 끝에 산방꽃차례를 이루며 달린다.
- 꽃받침조각은 5개로 부드러운 털이 있고, 꽃잎도 5개이다.
- 수술은 8개이다.

열매 열매는 시과이고 털이 없고 9~10월에 익으며 날개는 긴 타원 모양이다.

약 용 활 용

생약명 | 계조축(鷄爪槭)

이용부위 | 뿌리껍질, 가지

채취시기 | 가을

약성미 | 성질은 차고 맛은 맵고 쓰다.

주치활용 | 안검연염, 무릎관절염, 골절상, 배옹, 복통, 관절산통

효능 | 청열, 해독, 행기, 지통

2011 © 담쟁이덩굴

학명 | Parthenocissus tricuspidata

분류 | 쌍떡잎식물 갈매나무목 포도과

분포 | 한국, 일본, 타이완, 중국

형태 | 낙엽활엽 덩굴식물

담쟁이덩굴

서식 돌담이나 바위 또는 나무줄기에 붙어서 자란다.

줄기 줄기는 길이 10m 이상 뻗는다.

잎
- 덩굴손은 잎과 마주나고 갈라지며 끝에 둥근 흡착근이 있어 담 벽이나 암벽에 붙으면 잘 떨어지지 않는다.
- 잎은 어긋나고 넓은 달걀 모양이다.
- 잎 끝은 뾰족하고 3개로 갈라지며, 밑은 심장밑 모양이다.
- 앞면에는 털이 없으며 뒷면 잎맥 위에 잔털이 있고, 가장자리에 불규칙한 톱니가 있다.
- 잎자루는 잎보다 길다.
- 잎은 가을에 붉게 단풍이 든다.

꽃
- 꽃은 양성화이고 6~7월에 황록색으로 핀다.
- 가지 끝 또는 잎겨드랑이에서 나온 꽃대에 취산꽃차례를 이루며 많은 수가 달린다.
- 꽃받침은 뭉뚝하고 갈라지지 않으며, 꽃잎은 좁은 타원 모양이다.
- 꽃잎과 수술은 각각 5개이고, 암술은 1개이다.

열매
- 열매는 흰 가루로 덮여 있으며 8~10월에 검게 익는다.
- 종자는 1~3개이다.

약 용 활 용

생약명 | 시금(地錦)

이용부위 | 뿌리, 줄기

채취시기 | 여름(7~8월)

약성미 | 성질은 따뜻하고 맛은 달고 떫다.

주치활용 | 구토, 구창, 피부세척

효능 | 지혈, 진통

민간활용 | 피멎이약, 종양흡수약, 옹종, 베인 상처 치료에 사용한다.

주의 | 나무를 감고 올라간 것만 사용한다.

2011 © 담팔수

학명 | Elaeocarpus sylvestris var. ellipticus

분류 | 쌍떡잎식물 아욱목 담팔수과

분포 | 한국(제주)

형태 | 상록교목

담팔수

줄기 작은 가지에 털이 없다.

- 잎은 어긋나고 거꾸로 선 바소 모양이다.
- 표면에 광택이 있고 가죽처럼 두꺼우며 가장자리에 물결 모양의 톱니가 있다.

- 꽃은 양성화로 7월에 흰색으로 피는데, 잎이 떨어진 지난 해 가지의 잎겨드랑이에서 나온 꽃대에 총상꽃차례를 이루며 달린다.
- 꽃잎은 5개이고, 꽃받침조각은 넓은 바소 모양 또는 바소 모양이고 양면에 털이 있다.
- 수술은 20개이고 씨방에 길고 부드러운 털이 있다.

열매

- 열매는 타원 모양의 핵과이고 9월에 검푸른색으로 익는다.
- 종자는 크고 겉에 주름이 있다.

이용 목재는 단단하고 치밀하여 가구재로 사용되고 껍질은 염료재로 쓰이며 열매는 식용할 수 있다.

약 용 활 용

생약명 | 산두영(山杜英)

이용부위 | 뿌리껍질

채취시기 | 수시

약성미 | 성질은 평하고 맛은 떫고 약간 맵다.

주치활용 | 타박상

효능 | 진통, 진경

민간활용 | 타박상으로 멍이 들고 부었을 때, 물을 넣고 달여서 먹는다.

학명 | Acer pseudo-sieboldianum

분류 | 쌍떡잎식물 무환자나무목 단풍나무과

분포 | 한국, 중국(만주), 우수리강 유역

형태 | 낙엽활엽 교목

당단풍

서식 산에서 자란다.

줄기 나무껍질은 회색이고 가지는 적갈색을 띤다.

잎
- 잎은 마주나고 손바닥 모양이며 9~11개로 깊게 갈라진다.
- 잎 끝이 뾰족하고 가장자리에는 겹톱니가 있으며, 앞면에는 털이 있거나 없으며 뒷면에는 맥을 따라 연한 털이 있다.

꽃
- 꽃은 5월에 피고 산방꽃차례를 이루며 10~20개가 가지 끝에 달리는데, 그 중 양성화는 2~3개이다.
- 꽃잎은 4개이고, 수꽃에는 암술의 흔적과 4~8개의 수술이 있으며, 꽃받침은 5~6개로 갈라진다.

열매
- 열매는 시과이고 9~10월에 익으며 털이 없다.
- 열매의 날개는 긴 타원 모양이고 두 날개가 70°로 벌어진다.

이용 정원수나 가로수, 기구재, 땔감용, 잎은 염료용으로 사용한다.

약용활용

생약명 | 계조축(鷄爪槭)

이용부위 | 뿌리껍질, 가지

채취시기 | 가을

약성미 | 성질은 차고 맛은 맵고 쓰다.

주치활용 | 안검연염, 무릎관절염, 골절상, 배옹, 복통, 관절산통

효능 | 청열, 해독, 행기, 지통

2011 © 당매자나무

속명 | 당소별

학명 | Berberis poiretii

분류 | 쌍떡잎식물 미나리아재비목 매자나무과

분포 | 한국(강원, 경기, 평북, 함북), 중국, 몽골

형태 | 낙엽활엽 관목

당매자나무

서식 산과 들에서 자란다.

줄기
- 가지는 가늘고 털이 없으며 약간 모가 난 줄이 있고 자줏빛이 도는 갈색이다.
- 가시는 단순하거나 3개로 갈라진다.

잎
- 잎은 어린 가지에서는 어긋나고 짧은 가지에서는 뭉쳐나며 거꾸로 선 바소 모양이다.
- 잎 앞면은 녹색이고 뒷면은 회록색이며 가장자리에 톱니가 없다.

꽃
- 꽃은 양성화로 4~5월에 피고 짧은 가지에 총상꽃차례를 이루며 8~15개가 달린다.
- 꽃받침조각은 6장으로 꽃잎처럼 배열된다.
- 꽃잎은 달걀을 거꾸로 세운 모양이고 황색이며 표면에 붉은 빛이 돈다.

열매 열매는 장과로 타원 모양 또는 긴 타원 모양이고 9월에 붉은색으로 익는다.

약용활용

생약명 | 삼과침(三顆針)

이용부위 | 뿌리

채취시기 | 종자–가을, 뿌리–가을, 이른봄

주치활용 | 이질, 장염, 황달, 후두염, 안구 충혈, 옹종, 혈붕

효능 | 청열, 조습, 소염, 해독

2011 © 대추나무

학명 | Zizyphus jujuba var. inermis

분류 | 쌍떡잎식물 이판화군 갈매나무목 갈매나무과

분포 | 한국과 중국을 비롯한 아시아, 유럽 등지

형태 | 낙엽활엽 교목

대추나무

서식 마을 부근에서 재배한다.

줄기 나무에 가시가 있고 마디 위에 작은 가시가 다발로 난다.

잎 잎은 어긋나고 난형 또는 긴 난형이다.

꽃
- 5월말에 연한 황록색 꽃이 피며 잎겨드랑이에서 짧은 취산꽃차례를 이룬다.
- 꽃받침조각 · 꽃잎 · 수술은 각각 5개이고 암술은 1개이다.

열매
- 열매는 핵과로 다원형이고 표면은 적갈색이며 윤이 난다.
- 외과피는 얇은 혁질이고 점착성이 있으며 갯솜과 같다.
- 내과피는 딱딱하고 속에 종자가 들어 있으며, 9월에 빨갛게 익는다.

이용 열매인 대추는 생으로 먹거나 떡 · 약식 등의 요리에 이용한다.

생약명 | 대조(大棗)

이용부위 | 열매

채취시기 | 가을(9~10월)

약성미 | 성질은 평하고 맛은 달고 독이 없다.

주치활용 | 기력부족, 전신통증, 불면증, 근육경련, 약물중독

효능 | 자양, 강장, 진해, 진통, 해독

학명 | Artemisia iwayomogi

분류 | 쌍떡잎식물 합판화군 초롱꽃목 국화과

분포 | 한국, 일본, 사할린, 알타이지방, 시베리아

형태 | 낙엽활엽 관목

더위지기

서식 산기슭의 양지쪽이나 들에서 자란다. 쑥과 더불어 산과 들에 무성히 자라는 식물 중의 하나이다.

줄기 줄기는 뭉쳐나며 밑동이 점차 목질화되며 윗부분에서는 가지가 갈라진다.

잎
· 뿌리잎은 어긋나고 달걀 모양이다.
· 깃꼴로 두 번 갈라지며 뒷면은 연한 녹색이고 거미줄 같은 털이 있다.
· 줄기잎은 비소꼴로 톱니가 있다.

꽃
· 7~8월에 황색의 두화가 잎겨드랑이에 총상으로 달린다.
· 총포 조각은 2~3줄로 배열되고 털이 있거나 없다.

열매 화관은 원통형으로서 겉에 선점이 있고 모두 열매를 맺으며 11월에 익는다.

약용활용

생약명 | 인진호(茵蔯蒿)

이용부위 | 전초

채취시기 | 여름(7~8월)

약성미 | 성질은 평하고 서늘하며 맛은 쓰다.

주치활용 | 황달, 종기, 이뇨, 이담, 간염, 황달, 소변분리

효능 | 청열, 이습

2011 © 덜꿩나무

학명 | Viburnum erosum

분류 | 쌍떡잎식물 합판화군 꼭두서니목 인동과

분포 | 전남, 전북, 경남, 경북, 충남, 강원, 경기

형태 | 낙엽활엽 관목

덜꿩나무

서식 해발 1,200m 이하의 산기슭 숲속이나 숲가장자리에서 자란다.

줄기 어린 가지에 성모가 빽빽히 자란다.

잎
- 잎은 마주나고 달걀 모양·달걀 모양의 타원형 또는 달걀을 거꾸로 세운 모양 등이다.
- 잎 끝은 뾰족하고 밑은 둥글거나 심장밑 모양이며 가장자리에 톱니가 있다.
- 잎 앞면에는 성모가 드문드문 있고 뒷면에는 가막살나무에 비해 성모가 빽빽히 자란다.
- 잎자루는 턱잎이 있다.

꽃
- 5월에 흰색 꽃이 가지 끝에 취산꽃차례를 이루면서 피고, 꽃받침조각은 달걀 모양의 원형이다.
- 수술이 화관보다 약간 길며 씨방에 털이 없다.

열매 열매는 핵과로 달걀 모양의 원형이고 9월에 빨갛게 익는다.

이용 어린 순과 열매는 식용하며, 나무는 땔감으로 쓴다.

약 용 활 용

이용부위 | 잎, 가지

채취시기 | 봄, 여름

약성미 | 성질은 평하고 맛은 달고 쓰다.

주치활용 | 소아간적

효능 | 거삼충, 하기, 소곡

2011 © 덩굴장미

학명 | Rosa multiflora var. platyphylla

분류 | 쌍떡잎식물 장미목 장미과

형태 | 덩굴성 활엽관목

덩굴장미

서식 집에서 흔히 울타리에 심는다.

줄기 전체에 밑을 향한 가시가 드문드문 있다.

잎
- 잎은 어긋나고 홀수1회 깃꼴겹잎이며 잎자루와 주맥에 가시가 있다.
- 작은잎은 5~7개로 달걀 모양 또는 달걀을 거꾸로 세운 듯한 모양이다.
- 작은잎의 앞면은 녹색이고 뒷면은 연한 녹색 또는 회색 빛을 띤 녹색이다.
- 가상자리에 날카로운 톱니는 있으며 털이 없는 것도 있다.
- 턱잎은 녹색이며 빗살같이 깊게 갈라지고 끝이 뾰족하다.

꽃
- 꽃은 5~6월에 피며, 흔히 붉은색이지만 다른 여러 가지 색이 있다.
- 꽃자루와 작은꽃자루에 선모가 있는 것도 있고 없는 것도 있다.
- 수술은 꽃잎보다 짧고 암술대는 합쳐져서 1개이며 수술대와 길이가 같다.

열매 열매는 9월에 익는다.

이용 관상용이나 밀원식물로 심는다.

약용활용

생약명 | 장미화(薔薇花)

이용부위 | 뿌리, 꽃, 열매

채취시기 | 초여름(6월)

약성미 | 성질은 평온하고 맛은 달고 약간 쓰다.

주치활용 | 꽃—이질, 설사, 지혈. 뿌리—관절염, 반신불수, 생리불순. 열매— 관절염, 치통

효능 | 지혈, 강장

2011 © 돈나무

학명 | Pittosporum tobira

분류 | 쌍떡잎식물 장미목 돈나무과

분포 | 한국(전남, 전북, 경남), 일본, 타이완, 중국

형태 | 상록활엽 관목

돈나무

서식 바닷가의 산기슭에서 자란다.

줄기
- 가지에 털이 없으며 수피는 검은 갈색이다.
- 줄기 밑둥에서 여러 갈래로 갈라져 모여나고 수관은 반원형이다.

잎
- 잎은 어긋나지만 가지 끝에 모여 달리며 두껍다.
- 잎 앞면은 짙은 녹색으로 윤이 나고 긴 달걀을 거꾸로 세운 듯한 모양이다.
- 잎의 가장자리는 밋밋하고 뒤로 말리며 뒷면은 흰색을 띤다.

꽃
- 꽃은 양성으로 5~6월에 총상꽃차례로 새 가지 끝에 달린다.
- 꽃잎, 꽃받침조각, 수술은 모두 5개이다.

열매 열매는 삭과로서 둥글거나 넓은 타원형이고 10월에 3개로 갈라져 붉은 종자가 나온다.

이용 조경과 분재용으로 사용한다.

약용활용

생약명 | 칠리향(七里香)

이용부위 | 줄기, 잎

채취시기 | 가을~겨울

약성미 | 성질은 약간 따뜻하고 맛은 쓰다.

주치활용 | 고혈압, 동맥경화, 골절통, 습진, 종독

효능 | 강압, 활혈, 소종

2011 © 돌배나무

학명 | Pyrus pyrifolia

분류 | 쌍떡잎식물 장미목 장미과

분포 | 한국(전남, 경남, 충북, 강원), 일본, 중국

형태 | 낙엽활엽 소교목

돌배나무

서식 산에서 자란다.

줄기 나무껍질은 회흑자색이다.

잎
- 잎은 달걀 모양 긴 타원형 · 달걀 모양 · 넓은 달걀 모양이고 끝은 뾰족하며 밑은 둥글거나 심장밑 모양이다.
- 잎 뒷면은 회록색이며 털이 없고 가장자리에 침 같은 톱니가 있다.

꽃
- 꽃은 4~5월에 백색으로 피고 작은 가지 끝에 산방꽃차례를 이룬다.
- 꽃받침조각은 끝이 길게 뾰족하고 꽃잎은 달걀 모양 원형이며 수술은 약 20개 암술대는 4~5개이다.

열매 열매는 이과이며, 둥글고 다갈색이며 10월에 익는데 꽃받침은 떨어진다.

이용 늦가을에 열매를 채취하여 먹으며, 나무는 기구재 · 기계재로 쓰인다.

약 용 활 용

생약명 | 산이(山梨)

이용부위 | 열매

채취시기 | 가을

약성미 | 성질은 차고 맛은 달다.

주치활용 | 열병상진, 소갈, 열해, 변비

효능 | 생진, 윤조, 청열, 이뇨, 강장

민간활용 | 껍질을 벗겨 겉껍질을 약간 벗겨 버리고 잘게 썰어서 알맞은 양의 물을 넣고 달이다가 건더기는 건져 버리고 다시 진하게 달인 것을 매일 세 번씩 습진이 생긴 곳에 바르면 효과가 있다.

2011 © 동백나무

학명 | Camellia japonica

분류 | 쌍떡잎식물 측막태좌목 차나무과

분포 | 한국(남부지방), 중국, 일본

형태 | 상록교목

동백나무

줄기
- 동백나무는 밑에서 가지가 갈라져서 관목으로 되는 것이 많다.
- 나무껍질은 회백색이며 겹눈은 선상 긴 타원형이다.

잎
- 잎은 어긋나고 타원형 또는 긴 타원형이다.
- 잎가장자리에 물결 모양의 잔 톱니가 있고 윤기가 있으며 털이 없다.

꽃
- 꽃은 이른 봄 가지 끝에 1개씩 달리고 적색이다.
- 꽃잎은 5~7개가 밑에서 합쳐져서 비스듬히 퍼지고, 수술은 많으며 꽃잎에 붙어서 떨어질 때 함께 떨어진다.
- 암술대는 3개로 갈라진다.

열매 열매는 삭과로 둥글고 3실이며, 검은 갈색의 종자가 들어 있다.

이용
- 원예 및 조경용—두텁고 윤기 있는 잎과 아름다운 꽃이 돋보여 정원수로 심는다.
- 머릿기름으로 사용하였다.
- 목탁, 얼레빗, 다식판 등을 만들었다.

약 용 활 용

생약명 | 산다화(山茶花)

이용부위 | 꽃

채취시기 | 이른 봄

약성미 | 성질은 서늘하고 맛은 달고 쓰며 맵다.

주치활용 | 토혈, 장염으로 인한 하혈, 월경과다, 산후 출혈이 멎지 않는 증세, 화상, 타박상

효능 | 지혈, 소종

민간활용 | 화상에 꽃을 말려서 가루로 만든 다음 참기름 또는 동백기름으로 반죽하여 붙이면 특효가 있다.
동백잎을 빻아서 재래식 변소에 넣으면 구더기 발생을 막기도 하며 또한 술 냄새도 방지한다.

2011 © 두릅나무

학명 | *Aralia elata*

분류 | 쌍떡잎식물 산형화목 두릅나무과

형태 | 낙엽활엽 관목

두릅나무

서식 산기슭의 양지쪽이나 골짜기에서 자란다.

줄기 줄기는 그리 갈라지지 않으며 억센 가시가 많다.

잎
- 잎은 어긋나고 홀수2회 깃꼴겹잎이며 잎자루와 작은잎에 가시가 있다.
- 작은잎은 넓은 달걀 모양 또는 타원상 달걀 모양으로 끝이 뾰족하고 밑은 둥글다.
- 잎은 큰 톱니가 있고 앞면은 녹색이며 뒷면은 회색이다.

꽃
- 8~9월에 가지 끝에 산형꽃차례를 이루고 백색 꽃이 핀다.
- 꽃은 양성이거나 수꽃이 섞여 있다.
- 꽃잎·수술·암술대는 모두 5개이며, 씨방은 하위(下位)이다.

열매 열매는 핵과로 둥글고 10월에 검게 익으며, 종자는 뒷면에 좁쌀 같은 돌기가 약간 있다.

이용
- 새 순은 데쳐서 식용으로 먹을 수 있는 진미식품이다.
- 밀원, 관상용으로도 가치가 있다.

약용활용

생약명 | 총목피(楤木皮)

이용부위 | 잎, 열매, 껍질

채취시기 | 봄(5~6월)

약성미 | 성질은 평하고 맛은 맵다.

주치활용 | 풍습비통, 신염수종, 급만성간염

효능 | 보기, 안신, 강정자신, 거풍, 활혈

민간활용 | 민간에서는 뿌리를 폐렴, 당뇨병, 위장병, 신경통, 위·십이지장궤양 등에 차 대신 마시면 효과가 있다고 하며, 뿌리껍질을 다진 것은 초기 위암 및 고혈압에 이용한다. 신경쇠약이나 간장질환에서 좋다.

2011 © 두충나무

학명 | Eucommia ulmoides

분류 | 쌍떡잎식물 장미목 두충과

원산지 | 중국

형태 | 낙엽활엽 교목

두충나무

서식 산과 들에서 자란다.

줄기 통직하며 많은 가지를 내고 수피는 갈색을 띠는 회백색이다.

잎
- 잎은 마주나고 대개 타원형으로 끝이 뾰족하며 밑은 둥글고 고르지 못한 톱니가 있다.
- 잎 양면에 털이 거의 없으나 맥 위에는 잔 털이 있고 예리한 톱니가 있다.
- 잎자루는 길이 1cm로 잔 털이 있다.

꽃
- 꽃은 단성화로 4월에 잎겨드랑이에서 피고 꽃잎이 없다.
- 수꽃은 붉은 빛을 띤 갈색이고 6~10개의 짧은 수술이 있으며 암꽃은 짧은 자루가 있고 1개씩 붙는다.
- 씨방은 2개의 심피가 합쳐지고 1개의 방은 퇴화되어 1실로 되며 끝이 2개로 갈라져서 암술머리가 된다.

열매 열매는 10~11월에 익는데, 긴 타원형이고 날개가 있으며 자르면 고무 같은 점질의 흰실이 길게 늘어난다.

이용 정원수로 심고 있다.

약용활용

생약명 | 두충(杜沖), 면아(櫋芽)

이용부위 | 어린잎, 줄기껍질

채취시기 | 봄(4~6월)

약성미 | 성질은 따뜻하고 맛은 달고 약간 매우며 독이 없다.

주치활용 | 치요척산동, 족슬위약, 소변여력, 임신루혈, 태동불안, 고혈압

효능 | 보간신, 강근골, 안태

민간활용 | 민간에서는 잎을 달여서 신경통 · 고혈압에 쓰고 차로도 복용한다.

주의 | 온보간신의 작용이 있기 때문에 음허화치자는 신중을 기해서 사용해야 한다.

학명 | *Wisteria floribunda*

분류 | 쌍떡잎식물 이판화군 장미목 콩과

형태 | 낙엽 덩굴식물

등나무

서식 야생 상태인 것도 있으나 사찰과 집 근처에서 흔히 자란다.

줄기 오른쪽으로 감으면서 올라간다.

잎
- 잎은 어긋나고 홀수1회 깃꼴겹잎이며, 13~19개의 작은잎으로 된다.
- 작은잎은 달걀 모양의 타원형이고 가장자리가 밋밋하며 끝이 뾰족하다.
- 잎의 앞뒤에 털이 있으나 자라면서 없어진다.

꽃 꽃은 5월에 잎과 같이 피고 밑으로 처진 총상꽃차례로 달리며, 연한 자주빛이지만 흰색도 있다.

열매 열매는 협과이며 부두러운 털로 덮여있는 꼬투리로 기부로 갈수록 좁아지고 겉에 털이 있으며 9월에 익는다.

이용
- 알맞게 자란 등나무 줄기는 지팡이 재료로 적합하다.
- 꽃이 아름다워 조경수나 토사유출을 방지하기 위해 심는다.
- 줄기는 의자, 소쿠리, 지팡이 등을 만드는 데 사용하였다.

약용활용

생약명 | 등(藤)

이용부위 | 뿌리, 열매

채취시기 | 열매–여름(7~8월)

약성미 | 성질은 차고 맛은 시다.

주치활용 | 소변불리, 관절염

효능 | 동통, 이뇨

민간활용 | 등나무 뿌리를 근육통이나 관절염에 달여 먹으면 효과가 있다.

2011 © 등칡

학명 | Aristolochia manshuriensis

분류 | 쌍떡잎식물 이판화군 쥐방울덩굴목 쥐방울덩굴과

분포 | 한국(경남, 경북, 강원, 충북, 함북), 중국 북동부, 우수리

형태 | 낙엽 덩굴식물

등칡

서식
- 산지 숲 기슭에서 자란다.
- 내한성이 강해 음지와 양지에서 모두 잘 자라나 내건성은 약하다.

줄기 새 가지는 녹색이지만 두해살이 가지는 회갈색이다.

잎 잎은 둥글고 끝이 뾰족하며 밑은 심장밑 모양으로 톱니가 없다.

꽃
- 꽃은 단성화로서 5월에 피는데 잎겨드랑이에 1개씩 달린다.
- 꽃은 U자 모양, 즉 색소폰 모양으로 꼬부라진다.
- 겉은 연한 녹색, 안쪽 중앙부는 연한 갈색, 밑부분은 흑자색이며 윗부분에 자갈색 반점이 있고 꽃가장자리가 3개로 갈라진다.

열매 열매는 삭과로 10~11월에 익는다.

약용활용

생약명 | 관목통(關木通)

이용부위 | 줄기

채취시기 | 가을~봄(9월~익년 3월)

약성미 | 성질은 하고 맛은 쓰다.

주치활용 | 구설생창, 심번뇨적, 수종, 열림삽통, 백대, 경폐유소, 습열비통

효능 | 강화, 강심, 이뇨, 소종

주의 | 임부의 경우는 복용에 신중을 기해야 한다.

학명 | Sambucus williamsii var. coreana

분류 | 쌍떡잎식물 합판화군 꼭두서니목 인동과

분포 | 한국, 일본, 중국, 우수리 등지

형태 | 낙엽활엽 관목

딱총나무

서식 산골짜기에서 자란다.

줄기
- 덩굴처럼 자라며 줄기의 속이 어두운 갈색이다.
- 나무껍질은 회갈색이며 코르크질이 발달하고 길이 방향으로 깊게 갈라진다.
- 어린 가지는 연한 초록 빛이며 마디 부분은 보라색을 띤다.

잎
- 잎은 마주나고 2~3쌍의 작은잎으로 된 홀수1회 깃꼴겹잎이다.
- 작은잎은 긴 타원형 또는 타원형의 달걀 모양이고 끝은 뾰족하며 밑은 날카롭고 가장자리에 톱니가 있다.

꽃
- 꽃은 5월에 피고 돌기가 있으며 짧은 원추꽃차례를 이룬다.
- 화관(花冠)은 황록색이 돌고 털이 없으며, 꽃밥은 노란색이다.

열매 열매는 핵과로 공 모양이며 7월에 붉게 익는다.

이용
- 열매가 매혹적이기 때문에 관상용으로 사용한다.
- 가지는 골절상에서 골질 유합을 촉진시킨다. 임신부는 복용을 금한다.

약용활용

생약명 | 접골목(接骨木)

이용부위 | 줄기

채취시기 | 수시로 채취

약성미 | 성질은 평하고 맛은 달고 쓰다.

주치활용 | 관절염, 풍과 습기로 인한 통증, 통풍, 신장염, 각기, 산후에 오로가 잘 나오지 않는 증세, 골절상

효능 | 이뇨, 진통, 거풍, 소염

민간활용 | 사지동통, 즉 손과 발이 몹시 쑤시고 아플 때 딱총나무의 잎이나 가지, 꽃을 달여서 4~5회 마시면 효과가 있다.

2011 © 땃두릅나무

학명 | Echinopanax horridum

분류 | 쌍떡잎식물 이판화군 산형화목 두릅나무과

분포 | 한국(경남, 경북, 강원, 평남, 평북, 함남, 함북)

형태 | 낙엽활엽 관목

땃두릅나무

서식 깊은 산의 숲 속에서 자란다.

줄기
- 전체에 가시가 빽빽이 자란다.
- 한 포기에 여러 대의 줄기가 올라온다.

잎
- 잎은 어긋나고 홑잎으로서 손바닥 모양으로 5~7가닥 얕게 갈라지며 가장자리에 톱니가 있다.
- 잎자루와 표면의 주맥, 뒷면의 잎맥 위에 가시가 촘촘하다.

꽃 꽃은 단성화로 7~8월에 꽃이 피고, 산형꽃차례가 다시 총상으로 배열되며 꽃잎은 일찍 떨어진다.

열매 열매는 핵과로 둥글며 8~9월에 타원형의 원형으로 붉게 익는다.

이용 가지는 약용한다.

약용활용

생약명 | 자인삼(刺人蔘)

이용부위 | 뿌리

채취시기 | 가을~익년 봄

약성미 | 성질은 따뜻하고 맛은 맵다.

주치활용 | 발열, 해수, 두통, 류머티스, 신경통, 피부염

효능 | 진통, 거담, 해열, 진해

학명 | Indigofera kirilowii

분류 | 쌍떡잎식물 이판화군 장미목 콩과

분포 | 중국, 만주 등지와 함북을 제외한 전국 각지

형태 | 낙엽활엽 관목

땅비싸리

서식 산기슭에서 흔히 자란다.

뿌리 뿌리에서 많은 싹이 나온다.

줄기 여러 개의 줄기가 올라오며 가지에 세로로 된 줄 모양의 돌기가 있다.

잎
- 잎은 어긋나고 홀수1회 깃꼴겹잎이다.
- 작은잎은 7~11개로 두껍고 원형 · 타원형 또는 거꾸로 선 달걀 모양이며 양면에 털이 있다.
- 적자색 꽃이 5~6월에 피고, 잎 겨드랑이에서 총상꽃차례를 이룬다.

꽃 꽃받침은 기판의 겉에 털이 있다.

열매 열매는 협과로 줄 모양이고 10월에 익는다.

이용 농가의 양봉용, 사료용으로도 쓰인다.

약 용 활 용

생약명 | 산두근(山豆根)

이용부위 | 뿌리

채취시기 | 가을, 이른 봄

약성미 | 성질은 차고 맛은 쓰며 독이 없다.

주치활용 | 인후염, 구내염, 악성종양, 폐렴, 황달, 기침

효능 | 진통, 해독, 소종

민간활용 | 개나 뱀에 물린 상처의 치료를 위해서는 생뿌리를 짓찧어서 환부에 붙이거나 또는 말린 약재를 가루로 빻아 기름으로 개어서 환부에 바른다.

2011 © 때죽나무

학명 | Styrax japonica

분류 | 쌍떡잎식물 합판화군 감나무목 때죽나무과

분포 | 한국(중부 이남), 일본, 필리핀, 중국 등지

형태 | 낙엽소교목

때죽나무

서식 산과 들의 낮은 지대에서 자란다.

줄기 가지에 성모가 있으나 없어지고 표피가 벗겨지면서 다갈색으로 된다.

잎 잎은 어긋나고 달걀 모양 또는 긴 타원형이며 가장자리는 밋밋하거나 톱니가 약간 있다.

꽃
- 꽃은 단성화이고 종 모양으로 생겼다.
- 5~6월에 흰색 꽃이 잎겨드랑이에서 총상꽃차례로 2~5개씩 밑을 향해 달린다.
- 꽃부리는 5갈래로 깊게 갈라지며 수술은 10개이고 수술대의 아래쪽에는 흰색 털이 있다.

열매 열매는 삭과로 달걀형의 공 모양으로 9월에 익고 껍질이 터져서 종자가 나온다.

이용
- 줄기는 목기류, 얼레빗, 장기쪽 등을 만들었다.
- 열매의 과피는 세탁용으로 사용했다.
- 물고기를 잡는 독초로 사용했다.
- 종자는 등유나 머릿기름으로 사용했다.

약 용 활 용

생약명 | 매마등(買麻藤)

이용부위 | 꽃

채취시기 | 봄(5~6월)

주치활용 | 관절염, 골절상, 후통, 아통, 풍습관절염, 사지통

효능 | 청화, 거풍제습

2011 © 떡갈나무

학명 | Quercus dentata

분류 | 쌍떡잎식물 이판화군 참나무목 참나무과

분포 | 동아시아 지역

형태 | 낙엽교목

떡갈나무

서식 산지에서 흔히 자란다.

줄기 나무 껍질은 회갈색이고 가지는 굵고 넓게 퍼진다.

잎
- 잎은 어긋나고 두꺼우며 거꾸로 선 달걀 모양이다.
- 잎 끝이 둔하게 늘어지며 밑은 귀밑 모양으로 둔하며 가장자리에는 커다란 톱니가 있다.
- 잎 뒷면에는 굵은 성모가 빽빽이 자라며 거칠다.

꽃
- 꽃은 양성화이고 5월에 피며, 수꽃이삭은 길게 늘이지고, 암꽃이삭은 1개의 꽃이 있다.
- 견과의 열매인 도토리는 10월에 익으며, 긴 타원형이다.

열매 열매를 감싸는 깍정이는 뒤로 젖혀진 바소꼴의 포(苞)로 덮여 있다.

이용
- 도토리묵은 한국 고유의 식품으로 오래 전부터 구황식이나 별식으로 이용되어 왔다.
- 목질이 단단하므로 용재와 신탄재로 사용하고, 나무 껍질은 타닌 함량이 많으므로 타닌 원료로 쓰이며, 잎은 떡을 싸는 데 쓰이므로 일본으로 수출하고 있다.

약용활용

생약명 | 상자

이용부위 | 열매

채취시기 | 열매－가을(10월)

약성미 | 맛은 쓰고 떫다.

주치활용 | 이질, 토혈, 혈변

효능 | 소종, 지혈, 이질

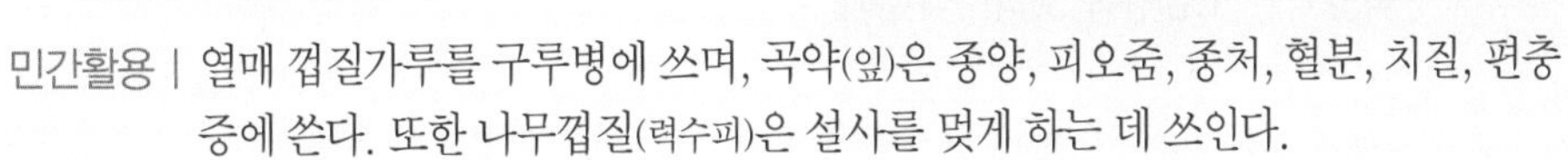

민간활용 | 열매 껍질가루를 구루병에 쓰며, 곡약(잎)은 종양, 피오줌, 종처, 혈분, 치질, 편충증에 쓴다. 또한 나무껍질(력수피)은 설사를 멎게 하는 데 쓰인다.

주의 | 소변삽자는 금한다.

학명 | Elaeagnus multiflora

분류 | 쌍떡잎식물 도금양목 보리수나무과

원산지 | 일본

형태 | 낙엽관목

뜰보리수

줄기 어린 가지가 적갈색 비늘털로 덮여 있다.

잎
- 잎은 어긋나고 긴 타원 모양이며 양끝이 좁다.
- 잎 표면에는 어릴 때 비늘털이 있으나 점차 없어지고, 뒷면에는 흰색 비늘털과 갈색 비늘털이 섞여 있으며, 잎가장자리는 밋밋하다.

꽃
- 꽃은 봄에 연한 노란색으로 피고 1~2개씩 잎겨드랑이에 달린다.
- 꽃에 흰색과 갈색 비늘털이 있다.
- 꽃받침통은 밑부분이 갑자기 좁아져 씨방을 둘러싼다.
- 꽃받침조각은 4개이고, 수술도 4개이며, 암술은 1개이다.

열매 열매는 핵과이고 긴 타원 모양이며 밑으로 처지며 7월에 붉은 색으로 익는데 다소 떫지만 먹을 수 있다.

이용 관상용 또는 과수로 심는다.

약용활용

생약명 | 목반하(木半夏)

이용부위 | 열매

채취시기 | 가을(9~10월)

약성미 | 성질은 평하고 맛은 담담하고 약간 떫다.

주치활용 | 혈액순환을 개선시키고 타박상, 기관지 천식, 치질, 요통

효능 | 지혈, 지사제, 고장

민간활용 | 통에는 뿌리를 물에 넣고 달여서 복용한다.

2011 © 마가목

학명 | Sorbus commixta

분류 | 쌍떡잎식물 이판화군 장미목 장미과

분포 | 한국, 일본

형태 | 낙엽소교목

마가목

서식 주로 산지에서 자란다.

줄기 고산지대에서는 관목상으로 자란다.

잎
- 잎은 어긋나고 깃꼴겹잎이다.
- 작은잎은 바소꼴로 5~7쌍이며 잎자루가 없고 가장자리에 톱니가 있으며 뒷면은 흰빛이 돈다.
- 겨울눈은 끈적끈적한 점액을 지니고 있다.

꽃
- 꽃은 5~6월에 가지끝에 복산방꽃차례를 이루며 흰색으로 핀다.
- 꽃받침은 술잔 모양이고 5개로 갈라지며 그 조각은 넓은 삼각형이다.
- 꽃잎은 5개로 납작한 원형이고 안쪽에 털이 있다.
- 수술은 20개 정도이며 암술은 3~4개로 밑동에 털이 있다.

열매 열매는 둥글며 9~10월에 붉은색으로 익는다.

약용활용

생약명 | 정공피(丁公皮)

이용부위 | 열매

채취시기 | 가을(10월)

약성미 | 성질은 따뜻하고 맛은 맵다.

주치활용 | 중풍, 양모, 신체 허약, 요슬통, 백발, 보혈, 구충, 해수

효능 | 진해, 거담, 이수, 지갈, 강장

민간활용 | 마가목을 증류식 소주에 넣어 밀봉하여 발효한 뒤 아침, 저녁으로 복용하면 양기부족, 발기불능, 냉습에 큰 효과가 있으며, 이질 · 설사 · 무릎이 시리고, 하체에 힘이 없는 사람에게 특히 좋다.

2011 © 만리화

학명 | Forsythia ovata NAKAI.

분류 | 쌍떡잎식물 용담목 물푸레나무과

원산지 | 한국

분포 | 경북, 강원(설악산)

형태 | 낙엽관목

만리화

서식 산골짜기에서 자란다.

줄기 가지는 잿빛이고 피목이 있다.

잎
- 잎은 마주나고 넓은 달걀 모양이며 윤이 나고 가지 밑에 털이 난다.
- 가장자리에는 톱니가 있고 뒷면은 잿빛이 섞인 녹색이다.

꽃
- 꽃은 3~4월에 잎겨드랑이에 1개씩 달리는데, 밝은 노란색이다.
- 화관은 4개로서 좁고 깊게 갈라진다.
- 화관조각은 긴 타원형이며 끝이 패어 들어간다.
- 수술은 2개이며 암술보다 짧다.

열매 열매는 삭과로서 달걀 모양이고 9~10월에 익는다.

이용 열매는 약재로 쓰며 관상용으로 심는다.

약용활용

생약명 | 만리화

이용부위 | 열매

채취시기 | 가을(9~10월)

약성미 | 성질은 서늘하고 맛은 쓰다.

주치활용 | 종기, 반진, 맹장염, 폐농양, 림프절염, 인후염

효능 | 청열, 해독, 산결, 소종, 온열, 단독, 반진

2011 © 만병초

학명 | Rhododendron brachycarpum

분류 | 쌍떡잎식물 진달래목 진달래과

분포 | 한국(지리산, 울릉도, 강원과 북부지방), 일본

형태 | 상록관목

만병초

서식 고산지대에서 자란다.

빛깔 나무껍질은 잿빛이 섞인 흰색이다.

잎
- 잎은 어긋나지만 가지 끝에서는 5~7개가 모여 달린다.
- 타원형이거나 타원 모양 바소꼴이며 혁질이다.
- 가장자리는 밋밋하며 뒤로 말린다.
- 겉은 짙은 녹색이고 뒷면에는 연한 갈색 털이 빽빽이 난다.

꽃
- 꽃은 6~7월에 피고 10~20개씩 가지 끝에 총상꽃차례로 달린다.
- 작은꽃자루는 붉은 빛을 띤 갈색으로서 털이 빽빽이 난다.
- 화관은 깔때기 모양으로 흰색 또는 연한 노란색이고 안쪽 윗면에 녹색 반점이 있으며 5갈래로 갈라진다.
- 수술은 10개이고 암술은 1개이다.
- 씨방에는 갈색 털이 빽빽이 난다.

열매 열매는 삭과로서 타원 모양이며 9월에 갈색으로 익는다.

약용활용

생약명 | 석남엽

이용부위 | 잎

약성미 | 맛은 시고 쓰며 성질은 평하다.

주치활용 | 요배산통, 두통, 관절염, 양위, 불임증, 월경불순

효능 | 거풍, 지통, 최음, 강장, 이뇨

민간활용 | 콩팥이 약한 사람에게 복용을 권하고 싶다.

2011 © 만첩해당화

학명 | Rosa rugosa for. plena

분류 | 쌍떡잎식물 장미목 장미과

분포 | 한국, 일본, 중국 등지

형태 | 낙엽 관목

만첩해당화

서식 산기슭이나 바닷가 모래땅에서 자란다.

줄기 줄기에 가시와 가시털, 부드러운 털이 난다.

잎
- 잎은 어긋나고 홀수 깃꼴겹잎으로서 7~9개의 작은잎으로 이루어진다.
- 작은잎은 두껍고 타원 모양이거나 타원꼴 달걀을 거꾸로 세워 놓은 모양이다.
- 끝은 날카롭거나 뭉툭하고 밑부분은 날카롭다.
- 겉면에 주름이 많고 윤기가 있으며 뒷면에는 맥이 솟아 있고 잔 털이 빽빽이 난다.
- 선점이 있고 가장자리에 잔 톱니가 있다.

꽃
- 꽃은 겹꽃으로서 5~8월에 붉은 빛을 띤 자줏빛으로 피는데, 꽃자루에 가시털이 난다.
- 꽃받침 통부분은 둥글고 털이 없으며 갈래조각은 바소 모양이다.
- 꽃잎은 넓은 달걀을 거꾸로 세워 놓은 모양이며 끝이 오목 들어간다.

열매 열매는 편구형 수과로 털이 없으며 8월부터 붉은빛으로 익는다.

이용
- 종자를 직접 뿌리거나 꺾꽂이로 번식한다.
- 관상용으로 심으며 꽃을 향료 원료, 뿌리를 염료제로 쓴다.

약용활용

생약명 | 매괴화

이용부위 | 뿌리, 꽃, 열매

채취시기 | 봄(5~6월)

약성미 | 성질은 따뜻하고 맛은 달고 약간 쓰며 독이 없다.

주치활용 | 이기해울, 화혈산어, 치간위기통, 신구풍비, 토혈각혈

효능 | 월경부조, 적백대하, 이질, 유옹, 종독

민간활용 | 해당화의 뿌리는 민간약으로 쓰이는데, 당뇨병, 건위, 통경, 유방암의 치료에 쓰인다.

2011 © 말발도리

학명 | Deutzia parviflora

분류 | 쌍떡잎식물 장미목 범의귀과

분포 | 한국, 중국, 동부 시베리아

형태 | 낙엽관목

말발도리

서식 산골짜기 돌틈에서 자란다.

줄기 어린 가지에 성모가 나고 늙은 가지는 검은 잿빛이다.

잎
- 잎은 마주나고 달걀 모양, 달걀 모양 타원형 또는 달걀 모양 바소꼴이다.
- 가장자리에 톱니가 있고 뒷면에는 성모가 난다.

꽃
- 꽃은 흰색이며 5~6월에 피고 산방꽃차례에 달린다.
- 꽃잎과 꽃받침조각은 5개씩이고 수술은 10개이며 암술대는 3개이다.
- 꽃턱에 성모가 난다.

열매 열매는 삭과로 종 모양이며 9월에 익는다.

약용활용

생약명 | 수소(溲疏)

이용부위 | 열매

주치활용 | 피부염, 가려움증, 아토피

효능 | 주신피부중열(主身皮膚中熱), 수렴

학명 | Euscaphis japonica

분류 | 쌍떡잎식물 무환자나무목 고추나무과

분포 | 한국, 일본, 타이완, 중국 등지

형태 | 낙엽관목

말오줌때

서식 산기슭이나 바닷가에서 자란다.

잎
- 잎은 마주나고 홀수1회 깃꼴겹잎이다.
- 작은잎은 5~11개이며 바소꼴의 달걀 모양이거나 달걀 모양이고 가장자리에 톱니가 있으며 보통 뒷면 밑부분에 털이 난다.

꽃
- 꽃은 5월에 노란색으로 피고 원추꽃차례에 달린다.
- 꽃받침조각과 꽃잎은 각각 5개씩이다.
- 수술은 3개이며 암술대는 3개이다.
- 씨방은 3실이고 화반에 싸인다.

열매
- 열매는 골돌과로서 8~9월에 익는데, 붉은 빛이 돌고 안쪽은 연한 붉은색이다.
- 종자는 검은 빛이며 윤기가 있고 둥글다.

이용 어린 잎을 식용한다.

약용활용

생약명 | 야아춘자

이용부위 | 열매

채취시기 | 여름~가을(8~9월)

약성미 | 성질은 미지근하고 맛은 쓰고 독이 없다.

주치활용 | 이질, 수용성 하리, 산통, 류머티즘에 의한 동통, 타박상, 설사

효능 | 건비, 조영, 거풍, 제습

학명 | Cornus walteri F. T. Wangerin

분류 | 쌍떡잎식물 산형화목 층층나무과

분포 | 한국, 중국

형태 | 낙엽교목

말채나무

서식 계곡에서 자란다.

줄기 나무껍질은 검은 빛을 띤 갈색으로 그물같이 갈라진다.

잎
- 잎은 마주나고 넓은 달걀 모양이거나 타원형으로 양면에 복모가 약간 난다.
- 가장자리가 밋밋하고 측맥은 4~5쌍이다.
- 뒷면은 흰빛을 띤다.

꽃
- 꽃은 5~6월에 피고 흰색이며 취산꽃차례[聚揀花序]에 달린다.
- 꽃잎은 바소꼴이다.
- 암술은 수술보다 짧고 수술대는 꽃잎의 길이와 비슷하다.

열매 열매는 핵과로서 둥글고 9~10월에 검게 익는다.

이용 정원수로 심으며 목재는 건축재나 기구재로 쓴다.

약용활용

생약명 | 모래지엽(毛梾枝葉)

이용부위 | 잎

주치활용 | 지사제

효능 | 지사, 하리

민간활용 | 민간에서 잎을 지사제로 쓴다.

학명 | Berchemiaberchemiaefolia(Makino)Koidz.

분류 | 쌍떡잎식물 갈매나무목 갈매나무과

분포 | 한국, 일본, 중국 중부

형태 | 낙엽교목

망개나무

서식 산골짜기에서 자란다.

줄기 가지는 붉은 빛을 띤 갈색이며 피목이 흩어져 있다.

잎
- 잎은 어긋나고 긴 타원형이며 끝이 뾰족하다.
- 잎 표면은 짙은 녹색이고 뒷면은 흰색이다.
- 가장자리는 물결 모양의 톱니가 있거나 밋밋하다.

꽃
- 꽃은 6~7월에 피는데, 양성화이며 연한 녹색이고 총상꽃차례에 달린다.
- 꽃자루는 짧고 포와 작은포는 빨리 떨어진다.

열매 열매는 핵과로서 긴 타원형이며 8~9월에 검은 빛을 띤 빨간색으로 익는다.

이용
- 꽃은 중요한 밀원식물이며 가을에 노란색 단풍이 든다.
- 관상용이나 땔감으로 쓰며 목재는 조각재 · 기구재로 사용한다.

약용활용

생약명 | 토복령(土茯苓), 산귀래(山歸來)

이용부위 | 줄기잎

주치활용 | 황달, 풍습요통, 경전복통, 풍독유주, 상구홍종

효능 | 청열, 해독

2011 © 매발톱나무

학명 | *Berberis amurensis*

분류 | 쌍떡잎식물 미나리아재비목 매자나무과

분포 | 한국(중부 이북), 일본, 중국, 헤이룽강 등지

형태 | 낙엽관목

매발톱나무

서식 산지에서 자란다.

줄기 2년생 가지는 잿빛이고 3개로 갈라진 가시가 있다.

잎
- 잎은 새 가지에서는 어긋나고 짧은 가지에서는 모여 나는 것처럼 보인다.
- 타원형 또는 달걀을 거꾸로 세워 놓은 모양의 타원형이고 가장자리에 바늘 모양의 톱니가 있다.

꽃
- 꽃은 5월에 노란색으로 피고 양성화이며 짧은 가지에서 총상꽃차례가 나와 10~20송이가 달린다.
- 꽃잎은 6장이다.

열매 열매는 장과로서 타원형이고 9~10월에 빨간색으로 익는다.

이용 잎과 가지는 염료로 사용한다.

약용활용

생약명 | 소벽

이용부위 | 뿌리 및 줄기

채취시기 | 가을~겨울

약성미 | 성질은 차고 맛은 쓰며 독이 없다.

주치활용 | 급성장염, 이질, 황달, 폐렴, 인후염, 결막염

효능 | 해열, 조습, 소염, 해독, 정혈

민간활용 | 민간요법에는 황달에 매발톱나무의 30그램을 2홉의 물로 달여 그 반량으로 졸여지면 즙을 짜내어 하루 3회에 나누어 1회에 한 순가락씩 마시면 효과가 있다고 한다.

2011 © 매실나무

학명 | Prunus mume

분류 | 쌍떡잎식물 장미목 장미과

원산지 | 중국

분포 | 한국, 일본, 중국

형태 | 낙엽소교목

매실나무

줄기
- 나무껍질은 노란 빛을 띤 흰색, 초록 빛을 띤 흰색, 붉은색 등이다.
- 작은가지는 잔털이 나거나 없다.

잎
- 잎은 어긋나고 달걀 모양이거나 넓은 달걀 모양이다.
- 가장자리에 날카로운 톱니가 있고 양 면에 털이 나며 잎자루에 선이 있다.

꽃
- 중부 지방에서 꽃은 4월에 잎보다 먼저 피고 연한 붉은색을 띤 흰빛이며 향기가 난다.
- 꽃받침조각은 5개로서 둥근 모양이고 꽃잎은 여러 장이며 넓은 달걀을 거꾸로 세워 놓은 모양이다.
- 수술은 많고 씨방에는 빽빽한 털이 난다.

열매
- 열매는 공 모양의 핵과로 녹색이다.
- 7월에 노란색으로 익고 털이 빽빽이 나고 신맛이 강하며 과육에서 잘 떨어지지 않는다.

약 용 활 용

생약명 | 오매

이용부위 | 뿌리

채취시기 | 봄(5~6월)

약성미 | 성질은 따뜻하고 맛은 시고 떫다.

주치활용 | 습관성 유산, 제번, 생진지갈, 지혈, 구해사리, 하혈, 구토, 구갈, 번갈, 세균성장질

효능 | 수렴, 지사, 진해, 구충

민간활용 | 덜 익은 열매를 소주에 담가 매실주를 만들고 매실로 매실정과, 과자 등을 만들어 먹기도 한다.

2011 © 매자나무

학명 | Berberis koreana

분류 | 쌍떡잎식물 미나리아재비목 매자나무과

분포 | 한국(경기 이북)

형태 | 낙엽관목

매자나무

서식 산기슭 양지바른 곳에서 자란다.

줄기
- 가지를 많이 치며 2년생 가지는 빨간색이거나 짙은 갈색이다.
- 줄기에 가시가 있다.

잎
- 잎은 약간 두껍고 마디 위에 모여 나며 달걀을 거꾸로 세워 놓은 모양이거나 타원형이고 가장자리에 날카로운 톱니가 있다.
- 뒷면은 주름이 많으며 잿빛을 띤 녹색이다.
- 가을에 빨간색으로 물든다.

꽃
- 꽃은 5월에 노란색으로 피고 양성화이며 총상꽃차례로 달리고 아래로 늘어진다.
- 꽃잎은 달걀을 거꾸로 세워 놓은 모양의 긴 타원형이고 6개이다.

열매 열매는 장과로서 둥글고 9~10월에 붉게 익는다.

이용 줄기와 뿌리를 고미건위제로 쓰고 삶은 물로 눈을 치료하며, 내피는 황색 염료로도 사용하였다.

약 용 활 용

- 생약명 | 소벽(小蘗, 召辟)
- 이용부위 | 뿌리줄기
- 채취시기 | 초여름(6~7월)
- 약성미 | 성질은 평하고 맛은 달다.
- 주치활용 | 소화불량, 복통, 일질, 급성장염, 황달, 임파선염, 폐렴, 결막염, 음낭습진, 구내염, 관절염, 간염, 위염, 위궤양, 당낭염, 위암, 간암, 식도암
- 효능 | 건위, 해열, 살균, 지사, 해독

2011 © 머루

학명 | Vitis coignetiae

분류 | 쌍떡잎식물 갈매나무목 포도과

분포 | 한국, 일본

형태 | 덩굴식물

머루

줄기 줄기는 길고 굵으며, 덩굴손이 나와 다른 식물이나 물체를 휘감는다.

잎
- 잎은 어긋나고 길이 30cm 정도이며 가장자리에 톱니가 있다.
- 적갈색 털이 밀생하고 오랫동안 붙어 있다.

꽃
- 꽃은 작고 황록색이며 5~6월에 잎과 마주나온 원추꽃차례에 달린다.
- 꽃자루 밑부분에서 덩굴손이 발달한다.

열매 열매는 장과로 흑자색으로 익는다.

이용
- 열매는 술을 담기도 하고 다소 신맛이 있으나 식용하거나 약용한다.
- 왕머루와 비슷하지만 잎의 뒷면에 적갈색 털이 밀생하는 것이 다르다.

약용활용

생약명 | 산포도(山葡萄), 산등등앙(山藤藤秧)

이용부위 | 잎, 줄기, 뿌리

채취시기 | 잎 · 줄기-여름, 뿌리-가을

약성미 | 맛은 시고 달다.

주치활용 | 종창, 종호, 화상, 동상, 식욕촉진, 폐질환, 허약증, 두통, 요통, 대하증, 동통해소

효능 | 강심, 청간, 열을 다스리고 가래를 없앤다. 신경성두통 및 위통

민간활용 | 민간에서는 창종, 종화, 급창, 화상, 동상, 식욕촉진, 허약증에 약으로도 쓴다.

2011 © 먼나무

학명 | Ilex rotunda

분류 | 쌍떡잎식물 무환자나무목 감탕나무과

분포 | 한국(제주도, 보길도), 일본, 타이완, 중국

형태 | 상록교목

먼나무

줄기 가지는 털이 없고 암갈색이다.

잎 잎은 어긋나고 두꺼우며 타원형 또는 긴 타원형으로 가장자리가 밋밋하고 털이 없다.

꽃
- 꽃은 5~6월에 피고 연한 자줏빛이며 2가화로서 긴 꽃대 끝의 취산꽃차례에 달린다.
- 꽃잎과 꽃받침조각은 4개씩이고 수술은 4~5개이다.

열매 열매는 둥글고 10월에 붉게 익는다.

이용 정원수로 이용한다.

생약명 | 구필응(救必應)

이용부위 | 줄기, 뿌리껍질

채취시기 | 여름

약성미 | 성질은 차고 맛은 쓰다.

주치활용 | 모발열, 편도선염, 만성간염, 위궤양, 류머티즘

효능 | 청열, 해독, 이습, 지혈, 해열, 소염

2011 © 멀구슬나무

학명 | Melia azedarah var. japonica

분류 | 쌍떡잎식물 쥐손이풀목 멀구슬나무과

분포 | 전남, 전북, 경남, 경북

형태 | 낙엽교목

멀구슬나무

잎
- 잎은 어긋나고 기수 2~3회 깃꼴겹잎으로 잎자루의 밑부분이 굵다.
- 작은잎은 달걀 모양 또는 타원형이며 가장자리에 톱니 또는 깊이 패어 들어간 모양이 있다.

꽃
- 꽃은 5월에 피고 자줏빛이며 원추꽃차례에 달린다.
- 5개씩의 꽃잎과 꽃받침조각, 10개의 수술이 있다.

열매 열매는 핵과로 넓은 타원형이고 9월에 황색으로 익으며 겨울에도 달려 있다.

이용 가로수 · 정원수로도 이용된다.

약용활용

생약명 | 고련자(苦楝子)

이용부위 | 열매, 잎, 줄기 · 뿌리껍질

채취시기 | 잎-여름, 열매-가을, 껍질-수시

약성미 | 성질은 차고 맛은 쓰며 독이 있다.

주치활용 | 산통, 만성회충증에 의한 복통

효능 | 습열, 청간화, 지통, 살충

민간활용 | 조충, 정장, 말라리아 열에 고련피를 전제로 하여 복용. 복통, 치질, 절통은 고련자를 전제로 하여 복용한다.

주의 | 비위허한자는 복용을 금한다.

2011 © 멍석딸기

학명 | Rubus parvifolius

분류 | 쌍떡잎식물 장미목 장미과

분포 | 한국, 일본, 타이완, 중국

형태 | 덩굴성 낙엽관목

멍석딸기

서식 산록 이하의 낮은 지대에서 흔히 자란다. 짧은 가시가 있다.

잎
- 잎은 어긋나고 작은잎이 3개씩이지만 맹아에서는 5개인 것도 있다.
- 작은잎은 넓은 달걀을 거꾸로 세운 모양 · 달걀 모양 원형이다.
- 끝의 작은잎은 흔히 3개로 갈라지고 표면에 잔털이 있으며 뒷면에 흰털이 밀생하고 가장자리에 톱니가 있다.

꽃
- 꽃은 5월에 피고 적색이다.
- 산방꽃차례 · 원추꽃차례 · 총상꽃차례에 달리고 위를 향하여 핀다.

열매 열매는 집합과이며 둥글고 7~8월에 적색으로 익으며 맛이 좋다.

이용
- 열매을 식용한다.
- 지상부는 지혈 작용이 있다.
- 뿌리는 인후염에 효과가 있다

약용활용

생약명 | 호전표(薅田藨), 고혈현구자(庫頁懸鉤子)

이용부위 | 전체

채취시기 | 여름(7~8월)

약성미 | 성질은 평하고 맛은 달고 시며 독이 없다.

주치활용 | 토혈, 타박상, 이질, 치창, 개창, 인후염

효능 | 해독, 살충, 지통, 산어, 지혈

주의 | 임산부는 복용을 금한다.

학명 | Chaenomeles lagenaria

분류 | 쌍떡잎식물 장미목 장미과

원산지 | 중국

형태 | 낙엽관목

명자나무

서식 오랫동안 관상용으로 심어 왔다.

줄기 가지 끝이 가시로 변한 것이 있다.

잎 잎은 어긋나고 타원형이며 양 끝이 좁아지고 가장자리에 톱니가 있으며 턱잎은 일찍 떨어진다.

꽃
- 꽃은 단성으로 4월 중순경에 핀다.
- 짧은 가지 끝에 1개 또는 여러 개가 모여 달린다.
- 적색이지만 원예품종에는 여러 가지 꽃색이 있다.

열매 열매는 7~8월에 누렇게 익고 타원형이다.

약용활용

생약명 | 백해당(白海棠)

이용부위 | 열매

채취시기 | 여름(7~8월)

약성미 | 성질은 따뜻하고 맛은 시고 떫다.

주치활용 | 습비구연, 요슬관절산동통, 토사전근, 각기수종

효능 | 서근, 활락 화위, 화습

민간활용 | 각기에는 말린 명자를 1일 5그램 끓여 먹으면 효과가 있다.

주의 | 다식하면 치아와 뼈가 손상되며, 빈혈이나 진음이 부족하여 하반신요슬이 무력하거나, 식상(食傷)으로 비위가 쇠약하고 복내에 적체가 있어 변비가 있는 자는 복용을 금한다.

2011 © 모감주나무

학명 | Koelreuteria paniculata

분류 | 쌍떡잎식물 무환자나무목 무환자나무과

분포 | 한국(황해도와 강원 이남), 일본, 중국

형태 | 낙엽 소교목

모감주나무

서식 관목형이며 바닷가에 군총을 형성한다.

잎
- 잎은 어긋나며 1회 깃꼴겹잎이고 작은잎은 달걀 모양이다.
- 가장자리는 깊이 패어 들어간 모양으로 갈라진다.

꽃
- 꽃은 7월에 피고 원추꽃차례의 가지에 수상으로 달린다.
- 황색이지만 밑동은 적색이다.
- 꽃잎은 4개가 모두 위를 향하므로 한쪽에는 없는 것 같다.

열매 열매는 꽈리같이 생기고 3개로 갈라져서 3개의 검은 종자가 나온다.

이용
- 종자는 염주를 제작한다.
- 꽃과 열매가 아름다워 가로수로 사용한다.
- 비누 대용으로 사용한다.

약용활용

생약명 | 난화(欒華), 약수화(藥樹花)

이용부위 | 꽃

채취시기 | 여름(7월)

약성미 | 성질은 차고 맛은 쓰다.

주치활용 | 목통유루, 간염, 안적, 종통, 요도염, 소화불량, 장염, 이질

효능 | 청간, 이수, 소종

학명 | Chaenomeles sinensis

분류 | 쌍떡잎식물 장미목 장미과

원산지 | 중국

형태 | 낙엽교목

모과나무

서식 관상수 · 과수 또는 분재용으로 심는다.

줄기
- 나무껍질이 조각으로 벗겨져서 흰무늬 형태로 된다.
- 어린 가지에 털이 있으며 두해살이 가지는 자갈색의 윤기가 있다.

잎
- 잎은 어긋나고 타원상 달걀 모양 또는 긴 타원형이다.
- 잎 윗가장자리에 잔 톱니가 있고 밑부분에는 선이 있으며 턱잎은 일찍 떨어진다.

꽃
- 꽃은 연한 홍색으로 5월에 피고 1개씩 달린다.
- 꽃잎은 달걀을 거꾸로 세운 모양이고 끝이 오목하다.

열매
- 열매는 이과로 타원형 또는 달걀을 거꾸로 세운 모양이고 목질이 발달해 있다.
- 9월에 황색으로 익으며 향기가 좋으나 신맛이 강하다.

이용 조경과 분재용으로 사용한다.

생약명 | 목과(木瓜), 모과

이용부위 | 열매

채취시기 | 가을(10월~11월)

약성미 | 성질은 따뜻하며 맛은 시고 독이 없다.

주치활용 | 습비구련, 요슬관절산중동통, 토사전륵, 각기수종, 마비, 경련, 소화불량

효능 | 서륵, 활락, 화위, 화습

민간활용 | 음식을 소화시키고 설사 후의 갈증을 그치게 하며 각기 · 수종 · 소갈 · 딸꾹질 · 담(痰) 등을 다스린다. 또한 근육과 뼈를 튼튼하게 하며 다리의 무력함을 다스린다.

2011 © 모란

학명 | Paeonia suffruticosa

분류 | 쌍떡잎식물 미나리아재비목 미나리아재비과

형태 | 낙엽관목

모란

서식 각처에서 재배하고 있다.

줄기 가지는 굵고 털이 없다.

잎
- 잎은 3엽으로 되어 있고 작은 잎은 달걀 모양이며 2~5개로 갈라진다.
- 잎 표면은 털이 없고 뒷면은 잔털이 있으며 흔히 흰빛이 돈다.

꽃
- 꽃은 양성으로 5월에 홍색으로 피고 지름 15cm 이상이다.
- 꽃턱이 주머니처럼 되어 씨방을 둘러싼다.
- 꽃받침조각은 5개이고 꽃잎은 8개 이상이다.
- 크기와 형태가 같지 않고 달걀을 거꾸로 세운 모양으로서 가장자리에 불규칙하게 깊이 패어 있는 모양이 있다.
- 수술은 많고 암술은 2~6개로서 털이 있다.

열매 열매는 9월에 익고 내봉선에서 터져 종자가 나오며, 종자는 둥글고 흑색이다.

약용활용

생약명 | 목단피(牧丹)

이용부위 | 뿌리껍질

채취시기 | 가을, 겨울

약성미 | 성질은 시원하고 맛은 쓰고 매우며 독이 없다.

주치활용 | 온독발반, 토혈육혈, 야열조량, 무한골증, 경폐통경, 옹종창독, 질박상통, 소염, 두통, 요통

효능 | 청열, 량혈, 활혈, 산어, 건위, 지혈

주의 | 혈허유한자와 임산부 및 월경과다자는 복용을 금한다.

2011 © 목련

학명 | Magnolia kobus

분류 | 쌍떡잎식물 미나리아재비목 목련과

형태 | 낙엽교목

목련

서식 숲속에서 자란다.

줄기 줄기는 곧게 서며 가지는 굵고 많이 갈라진다.

잎
- 잎눈에는 털이 없으나 꽃눈의 포에는 털이 밀생한다.
- 잎은 넓은 달걀 모양 또는 타원형으로 끝이 급히 뾰족해지고 앞면에 털이 없다.
- 뒷면은 털이 없거나 잔털이 약간 있다.

꽃
- 꽃은 4월 중순부터 잎이 나기 전에 핀다.
- 꽃잎은 6~9개이다.
- 긴 타원형으로 백색이지만 기부는 연한 홍색이고 향기가 있다.
- 3개의 꽃받침조각은 선형으로 꽃잎보다 짧으며 일찍 떨어진다.
- 수술은 30~40개이고, 꽃밥과 수술대 뒷면은 적색이다.

열매 열매는 곧거나 구부러지고 종자는 타원형이며 외피가 적색이다.

이용 관상용으로 심는다.

약 용 활 용

생약명 | 신이(辛夷;목련)

이용부위 | 꽃봉오리

채취시기 | 봄

약성미 | 성질은 따뜻하고 맛은 맵고 독이 없다.

주치활용 | 풍한두통, 비염, 코막힘, 비유탁제, 치통

효능 | 산풍한, 통비규

민간활용 | 민간에서는 꽃봉오리 · 수피 등을 방향제 · 구충제 · 양모 · 두풍 등에 약재로 사용한다.

주의 | 음허화왕자와 기허자 및 두뇌통, 혈허화치에 속한 자, 치통이 위화에 속한 자는 복용을 금한다.

2011 © 목형자

학명 | Vitex negundo var. incisa

분류 | 쌍떡잎식물 통화식물목마편초과

분포 | 한국(중부), 만주, 중국

형태 | 낙엽관목

목형자

줄기 가지가 많이 갈라진다.

잎
- 잎은 마주 달리고 손바닥 모양의 겹잎이다.
- 작은잎은 5개, 간혹 3개로서 바소꼴 또는 타원 모양의 바소꼴이다.
- 가장자리에 큰 톱니 또는 깊이 패어 들어간 모양이며 뒷면에는 잔털과 더불어 선점이 있다.

꽃
- 꽃은 7~9월에 피고 총상꽃차례에 달린다.
- 꽃받침조각은 선점이 있고 화관은 겉에 털이 있으며 자주색이고 후부에 융모가 있다.

열매
- 열매는 9~10월에 익으며 핵과로 구형이다.
- 잎과 줄기에 방향유가 있다.

이용
- 관상용으로 이용하며 한국에서는 경기 이남에서 밀원식물로 심는다.

약 용 활 용

생약명 | 모형자(牡荊子), 모형엽(牡荊葉)

이용부위 | 열매, 잎

약성미 | 열매—성질은 따뜻하고 맛은 맵고 쓰다. 잎—성질은 평하고 맛은 쓰고 맵다.

주치활용 | 열매—해수, 천식, 일사병, 백대하. 잎—감기, 설사, 이질, 복통

효능 | 보신

2011 © 무궁화

무궁화

학명 | Hibiscus syriacus(Althaea frutex)

분류 | 쌍떡잎식물 아욱목 아욱과

분포 | 한국, 싱가포르, 홍콩, 타이완

형태 | 낙엽활엽 관목

줄기 전체에 털이 없고 많은 가지를 치며 회색을 띤다.

잎
- 잎은 늦게 돋아나고 어긋나며 자루가 짧고 마름모꼴 또는 달걀 모양이다.
- 얕게 3개로 갈라지며 가장자리에 불규칙한 톱니가 있다.
- 표면에는 털이 없으나 잎 뒷면에는 털이 있다.

꽃
- 꽃은 반드시 새로 자란 잎겨드랑이에서 하나씩 피고 대체로 종 모양이며 자루는 짧다.
- 꽃은 홍자색 계통이나 흰색, 연분홍색, 분홍색, 다홍색, 보라색, 자주색, 등청색, 벽돌색 등이 있다.
- 꽃의 밑동에는 진한 색의 무늬가 있는 경우가 많다.
- 이 무늬에서 진한 빛깔의 맥이 밖을 향하여 방사상으로 뻗는다.
- 꽃은 홑꽃과 여러 형태의 겹꽃이 있다.
- 홑꽃의 꽃잎은 대체로 달걀을 거꾸로 세운 모양으로 5개인데 밑동에서는 서로 붙어 있다.
- 겹꽃은 수술과 암술이 꽃잎으로 변한 것으로 암술이 변한 정도에 따라 다양하다.
- 수술은 많은 단체수술이고 암술대는 수술통 중앙부를 뚫고 나오며 암술머리는 5개이다.
- 꽃받침조각은 달걀 모양 바소꼴인데 성모가 있고, 외부에는 꽃받침보다 짧은 줄 모양의 외악이 있다.

열매 열매는 길쭉한 타원형으로 5실이고 10월에 익으며 5개로 갈라진다. 종자는 편평하며 털이 있다.

이용 꽃이 아름답고 화기는 7~10월로 길어서 정원, 학교, 도로변, 공원 등의 조경용과 분재용 및 생울타리로 널리 이용된다.

약용활용

생약명 | 목근피(木槿皮)

이용부위 | 뿌리 줄기 껍질

채취시기 | 봄(4~5월)

약성미 | 성질은 서늘하고 맛은 달고 독이 없다.

주치활용 | 장풍사혈, 탈항, 옴, 치질, 소갈, 심번불면, 적체, 적백적리, 기관지염, 인두염, 장염, 이질, 탈항, 치질, 대하, 옴

효능 | 청열, 이습, 해독, 지양, 해열.

민간활용 | 위장염, 장출혈, 하리에 목근화를 전제로 하여 복용한다. 피부병에는 생꽃을 짓찧어 붙인다.

주의 | 습열이 없는 자는 복용을 금한다.

2011 © 무화과나무

학명 | Ficus carica

분류 | 쌍떡잎식물 쐐기풀목 뽕나무과

원산지 | 아시아 서부 지중해 연안

분포 | 한국(전남과 경남)

형태 | 낙엽관목

무화과나무

서식 전라남도와 경상남도에서 재배하고, 북쪽에서는 온실에서 기른다.

줄기 백색이고, 가지는 굵으며 갈색 또는 녹갈색이다.

잎
- 잎은 어긋나고 넓은 달걀 모양으로 두껍고 3~5개로 깊게 갈라진다.
- 갈래조각은 끝이 둔하고 가장자리에 톱니가 있으며 5맥이 있다.
- 표면은 거칠고 뒷면에는 털이 있으며 상처를 내면 흰 젖 같은 유액(乳液)이 나온다.

꽃
- 봄부터 여름에 걸쳐 잎겨드랑이에 열매 같은 꽃이삭이 달리고 안에 작은 꽃이 많이 달린다.
- 겉에서 꽃이 보이지 않으므로 무화과나무라고 부른다.
- 암꽃은 화피갈래조각이 3개이고 2가화이지만 수나무는 보이지 않는다.

열매 열매는 꽃턱이 자란 것이며 달걀을 거꾸로 세운 모양이고 길이 5~8cm로서 8~10월에 검은 자주색 또는 황록색으로 익는다.

이용
- 잘 익은 열매는 날것으로 먹거나 잼을 만든다.
- 종자에는 배가 없으므로 꺾꽂이로 번식시킨다.

약용활용

생약명 | 무화과(無花果)

이용부위 | 열매

채취시기 | 열매–봄(5~6월), 열매–여름(8월 말과 9월)

약성미 | 성질은 평하고 맛은 달고 독이 없다.

주치활용 | 암, 변비, 치질, 종기, 간장병

효능 | 유즙부족, 지사, 식욕감퇴등. 건비, 완하제

민간활용 | 유액을 치질 및 살충제로 사용한다.

주의 | 무화과즙 때문에 피부가 타는 경우가 있으므로 알레르기 체질을 가진 사람은 주의해야 한다(본초강목).

학명 | Alnus hirsuta

분류 | 쌍떡잎식물 너도밤나무목 자작나무과

분포 | 한국, 일본, 중국 동북부, 시베리아, 사할린 등지

형태 | 낙엽교목

물오리나무

서식 산지에서 자란다.

줄기 나무껍질은 검은 빛이 도는 짙은 갈색이고 회색의 피목이 있다.

가지 어린 가지는 털이 빽빽이 있고, 겨울눈에 털이 있다.

잎
- 잎은 어긋나고 넓은 달걀 모양 또는 타원형의 달걀 모양이며 끝이 뾰족하다.
- 잎가장자리는 5~8개로 얕게 갈라지고 톱니가 있다.
- 잎의 표면은 짙은 녹색이고 맥 위에 잔털이 있다.
- 뒷면은 잿빛을 띤 흰색이고 갈색 털이 있다.
- 잎자루는 털이 있다.

꽃
- 꽃은 암수 한 그루이고 3~4월에 핀다.
- 가지 끝 또는 잎겨드랑이에 수꽃이삭이 2~4개씩 달리고 암꽃이삭은 그 밑에 3~5개씩 달린다.

열매
- 열매이삭은 가지 끝에 3~4개씩 달린다.
- 타원 모양 또는 긴 타원형의 달걀 모양이며 검은 빛이 도는 짙은 갈색이다.
- 열매는 소견과이고 매우 좁은 날개가 있으며 10월에 익는다.

약용활용

생약명 | 색적양(色赤楊)

이용부위 | 껍질

채취시기 | 봄

약성미 | 성질은 서늘하고 맛은 쓰고 떫다.

주치활용 | 노인성 만성기관지염

효능 | 진해, 거담, 소염, 지해, 평천

2011 © 물푸레나무

학명 | Fraxinus rhynchophylla

분류 | 쌍떡잎식물 용담목 물푸레나무과

분포 | 한국, 중국 등지

형태 | 낙엽교목

물푸레나무

서식 산기슭이나 골짜기 물가에서 자란다.

줄기 나무껍질은 회색을 띤 갈색이며 잿빛을 띤 흰 빛깔의 불규칙한 무늬가 있다.

잎
- 잎은 마주나고 홀수 1회 깃꼴겹잎이다.
- 작은잎은 5~7개이며 넓은 바소 모양 또는 바소 모양이다.
- 가장자리에 물결 모양의 톱니가 있으며 앞면에 털이 없고 뒷면 맥 위에 털이 있다.

꽃
- 꽃은 암수 딴 그루이지만 양성화가 섞이는 경우도 있다.
- 5월에 피고 어린 가지의 잎겨드랑이에 원추꽃차례를 이루며 달린다.
- 수꽃은 수술과 꽃받침조각이 각각 2개이다.
- 암꽃은 꽃받침조각 · 수술 · 암술이 각각 2~4개이고 꽃잎은 거꾸로 세운 바소 모양이다.

열매
- 열매는 시과이고 9월에 익는다.
- 열매의 날개는 바소 모양 또는 긴 바소 모양이다.

이용
- 목재는 가구재, 기구재로 이용한다.
- 나무껍질은 한방에서 건위제.소염제.수렴제로 사용한다.

생약명 | 진피(秦皮)

이용부위 | 줄기 껍질

채취시기 | 여름(6~8월)

약성미 | 맛은 쓰고 떫으며 성질은 차고 독이 없다.

주치활용 | 열리, 설사, 적백대하, 목적종통, 목생예막

효능 | 청열, 조습, 수삽, 명목

민간활용 | 안질에 물푸레 나무 수피를 달여 그 물로 자주 씻는다.

주의 | 소화기의 기능 저하로 식욕이 감퇴된 자는 금한다.

2011 © 미국가막사리

학명 | Bidens frondosa

분류 | 쌍떡잎식물 초롱꽃목 국화과

원산지 | 북아메리카

생육상 | 한해살이풀

미국가막사리

줄기 줄기는 검은 자줏빛이 돌고 횡단면이 사각형이며 털이 없다.

잎
- 잎은 마주나고 깃꼴겹잎이다.
- 작은잎은 3~5개이고 바소꼴이며 가장자리에 톱니가 있고 잎자루가 없다.

꽃
- 꽃은 9~10월에 피고 갈라진 가지 끝에 두상화를 이루며 달리고 전체가 원추꽃차례를 이룬다.
- 두상화 겉에 있는 총포는 잎 모양이고 6~10개로 갈라진다.
- 두상화에 있는 설상화는 노란색이다.
- 편평하고, 가장자리에 있는 것은 넓고 안쪽에 있는 것은 좁다.
- 관모는 2개이고 가시가 있다.

약용활용

생약명 | 낭파초(狼把草)

이용부위 | 전초

채취시기 | 여름, 가을

약성미 | 성질은 평하고 맛은 쓰다.

주치활용 | 기관지염, 폐결핵, 인후염, 편도선염, 이질, 피부병, 옴, 습진

효능 | 청열, 해독

민간활용 | 마비작용이 있다고 하여 치통, 통풍, 관절통, 류머티즘에 쓰여 왔다.

2011 © 미국자리공

학명 | Phytolacca americana

분류 | 쌍떡잎식물 중심자목 자리공과

원산지 | 북아메리카

생육상 | 한해살이풀

미국자리공

뿌리 굵은 뿌리에서 줄기가 나온다.

줄기 줄기는 윗부분에서 가지가 갈라지고 붉은 빛이 강한 자주색이다.

잎
- 잎은 어긋나고 긴 타원 모양 또는 달걀 모양의 타원형이다.
- 양 끝이 좁고 가장자리가 밋밋하다.

꽃
- 꽃은 6~9월에 붉은 빛이 도는 흰색으로 피고 총상꽃차례를 이루며 달린다.
- 꽃받침조각은 5개이고, 수술과 암술대는 각각 10개씩이다.

열매
- 열매는 장과이고 꽃받침이 남아 있고 붉은 빛이 강한 자주색으로 익으며 검은색 종자가 1개씩 들어 있다.
- 종자는 광택이 있으며, 심피가 서로 붙어 있으므로 열매가 익어도 갈라지지 않는다.

생약명 | 미상륙

이용부위 | 뿌리

채취시기 | 봄, 가을, 겨울

약성미 | 성질은 평하고 맛은 맵고 시며 독이 있다.

주치활용 | 전신이 부었을 때, 만성신우신염, 복수가 찼을 때, 늑막염, 심장성부종, 신성수종, 장만, 각기, 인후종통, 옹종, 악창

효능 | 이뇨제, 통이변, 사수, 산비결

민간활용 | 종기와 진균에 의한 피부병에 짓찧어 붙인다.

학명 | Alangium platanifolium var. macrophylum

분류 | 쌍떡잎식물 산형화목 박쥐나무과

분포 | 한국, 중국 동북부, 일본

형태 | 낙엽관목

박쥐나무

서식 숲속 돌지대에서 자란다.

줄기 줄기는 밑에서 올라와 수형을 만들고 수피는 검은 빛을 띤 자주색으로 외피가 흔히 벗겨진다.

가지 작은 가지에 털이 있으나 곧 없어지고 어릴 때는 녹색이다.

잎
· 잎은 어긋나고 사각 모양 원형이며 끝이 3~5개로 얕게 갈라지고 가장자리가 밋밋하다.
· 양면에 잔 털이 있고 밑에서 손바닥 모양 맥이 갈라진다.

꽃
· 꽃은 양성화이며 5~7월에 노란 빛을 띤 흰색으로 피고 취산꽃차례에 달린다.
· 작은꽃자루에 환절이 있고 꽃잎은 줄 모양이며 밑이 서로 붙고 꽃이 피면 뒤로 말린다.

열매 열매는 핵과로서 타원형이고 하늘색으로 9월에 성숙한다.

이용
· 원예 및 조경용으로 관상 가치가 있는 식물이다.
· 어린 순은 나물로 먹는다.

약 용 활 용

생약명 | 팔각풍(八角楓), 백룡수(白龍須)

이용부위 | 뿌리

채취시기 | 겨울

약성미 | 성질은 따뜻하고 맛은 맵고 독성이 없다.

주치활용 | 관절통, 요통, 근육통, 류머티스성동통, 반신불수, 신경쇠약

효능 | 거풍, 산어, 지통

민간활용 | 민간요법에서 뿌리껍질을 벗겨 그늘에서 말려 두고 약재로 쓴다.

2011 © 박태기나무

학명 | Cercis chinensis

분류 | 쌍떡잎식물 장미목 콩과

원산지 | 중국

형태 | 낙엽관목

박태기나무

서식 관상용으로 흔히 심는다.

줄기 가지는 흰빛이 돈다.

잎
- 잎은 어긋나고 심장형이며 밑에서 5개의 커다란 잎맥이 발달한다.
- 잎면에 윤기가 있으며 가장자리는 밋밋하다.

꽃
- 꽃은 이른봄 잎이 피기 전에 피고 7~8개 또는 20~30개씩 한 군데 모여 달린다.
- 꽃줄기가 없고 작은꽃자루는 꽃받침과 더불어 붉은 빛을 띤 갈색이다.
- 꽃은 홍색을 띤 자주색이다.

열매 열매는 협과로서 꼬투리는 편평한 줄 모양 타원형으로 8~9월에 익으며 2~5개의 종자가 들어 있다.

이용 관상용으로 흔히 심는다.

약용활용

생약명 | 자형피(紫荊皮), 자형목(紫荊木)

이용부위 | 껍질

채취시기 | 여름(7~8월)

약성미 | 성질은 평하고 맛은 쓰다.

주치활용 | 풍한비습, 월경폐지, 월경통, 임질, 타박상, 사충교상, 후두마비, 코막힘, 종기, 벌레독, 중풍, 대하증, 오림, 치질

효능 | 해독, 피숙혈, 통소장, 활혈, 행기, 소종, 산풍, 치창종통, 통경

주의 | 임산부는 복용을 금한다.

학명 | Castanea crenata var. dulcis

분류 | 쌍떡잎식물 참나무목 참나무과

분포 | 아시아, 유럽, 북아메리카, 북아프리카 등의 온대지역

형태 | 낙엽교목

밤나무

서식 산기슭이나 밭둑에서 자란다.

줄기
- 나무껍질은 세로로 갈라진다.
- 작은 가지는 자줏빛을 띤 붉은 갈색이며, 짧은 털이 나지만 나중에 없어진다.

잎
- 잎은 어긋나고 곁가지에서는 2줄로 늘어서며, 타원형 · 긴 타원형 또는 타원 모양의 바소꼴이다.
- 물결 모양의 끝이 날카로운 톱니가 있다.
- 겉면은 짙은 녹색이며 윤이 나고, 뒷면은 성모(星毛 : 여러 갈래로 갈라진 별 모양의 털)가 난다.

꽃
- 꽃은 암수 한 그루로서 6월에 핀다.
- 수꽃은 꼬리 모양의 긴 꽃이삭에 달리고, 암꽃은 그 밑에 2~3개가 달린다.

열매 열매는 견과로서 9~10월에 익으며, 1송이에 1개 또는 3개씩 들어 있다.

이용 과실은 각종 음식을 만들 수 있고 약용 및 제과원료로 이용되며 꽃은 밀원으로서 껍질은 탄닌이 많아 염료로 쓰인다.

약용활용

- 생약명 | 율자(栗子)
- 이용부위 | 줄기열매껍질
- 채취시기 | 가을(9~10월)
- 약성미 | 성질은 차고 맛은 맵고 쓰다.
- 주치활용 | 신체허약, 반위, 하리, 육혈, 변혈, 골절동통
- 효능 | 이뇨

2011 © 배나무

학명 | Pyrus

분류 | 쌍떡잎식물 장미목 장미과

형태 | 낙엽교목 또는 관목

배나무

꽃
- 꽃은 흰색이고 꽃받침조각과 꽃잎은 5개씩이다.
- 과피는 갈색이거나 녹색을 띤 갈색이고 과육에는 돌세포가 들어 있다.
- 암술은 2~5개, 수술은 여러 개이다.

열매
- 열매는 꽃턱이 발달해서 이루어지며 2~5실을 기본으로 한다.
- 종자는 검은 빛이다.

약용활용

생약명 | 이(梨)

이용부위 | 열매

채취시기 | 가을

약성미 | 성질은 평하고 맛은 달다.

주치활용 | 열병, 소갈증, 발열, 해수

효능 | 생진윤조, 청열화담

민간활용 | 배의 속을 빼고 꿀을 넣어 고아서 먹는다.

주의 | 대변이 묽고 잔기침을 할 때는 복용을 피해야 한다.

2011 © 배롱나무

학명 | Lagerstroemia indica

분류 | 쌍떡잎식물 도금양목 부처꽃과

원산지 | 중국

형태 | 낙엽 소교목

배롱나무

줄기
- 나무껍질은 연한 붉은 갈색이며 얇은 조각으로 떨어지면서 흰 무늬가 생긴다.
- 작은 가지는 네모지고 털이 없다.
- 새 가지는 4개의 능선이 있고 잎이 마주난다.

잎
- 잎은 타원형이거나 달걀을 거꾸로 세워 놓은 모양이다.
- 겉면에 윤이 나고 뒷면에는 잎맥에 털이 나며 가장자리가 밋밋하다.

꽃
- 꽃은 양성화로서 7~9월에 붉은색으로 피고 가지 끝에 원추꽃차례로 달린다.
- 꽃잎은 꽃받침과 더불어 6개로 갈라지고 주름이 많다.
- 수술은 30~40개로서 가장자리의 6개가 길고 암술은 1개이다.

열매
- 열매는 삭과로서 타원형이며 10월에 익는다.
- 보통 6실이지만 7~8실인 것도 있다.

이용 관상용으로 심는다.

약 용 활 용

생약명 | 자미화(刺微花)

이용부위 | 뿌리, 잎, 꽃

채취시기 | 여름

약성미 | 성질은 차고 맛은 약간 시다.

주치활용 | 방광염, 대하증, 설사, 장염, 냉증, 줄임증, 월경과다

효능 | 지혈, 소종

민간활용 | 꽃, 뿌리, 잎 넣고 달인 액을 반으로 나누어 아침 저녁으로 복용한다.

주의 | 임산부는 복용하지 말아야 한다.

2011 © 배풍등

학명 | Solanum lyratum

분류 | 쌍떡잎식물 통화식물목 가지과

분포 | 한국, 일본, 타이완, 인도차이나

형태 | 덩굴성 반관목

배풍등

서식 산지의 양지쪽 바위 틈에서 자란다.

줄기 줄기의 밑부분만 월동하며, 윗부분이 덩굴성이며 선모가 난다.

잎
· 잎은 어긋나고 달걀 모양이거나 긴 타원형이며 밑에서 갈라지는 것도 있다.
· 가장자리는 밋밋하다.

꽃
· 꽃은 양성화이며 8~9월에 흰색으로 핀다.
· 가지가 갈라져서 원뿔 모양 취산꽃차례에 달리고, 꽃이삭은 잎과 마주나거나 마디 사이에 난다.
· 꽃받침에 낮은 톱니가 있고 5개의 꽃잎은 뒤로 젖혀져서 수평으로 퍼진다.

열매 열매는 장과로서 둥글고 붉게 익는다.

약 용 활 용

생약명 | 배풍등(排風藤)

이용부위 | 전초

채취시기 | 여름부터 가을사이(9~11월)

약성미 | 성질은 차고 맛은 달고 쓰다.

효능 | 청열, 이습, 거풍, 해독, 해열, 이뇨

민간활용 | 배풍등의 전초를 비상초라 하여 만성간염에 사용한다.

주의 | 배풍등 전체에 독이 있기 때문에 오용하면 구토, 설사, 복통 등을 일으키고 호흡중추를 마비시키며 많이 먹으면 죽는다.

2011 © 백당나무

학명 | Viburnum sargentii

분류 | 쌍떡잎식물 꼭두서니목 인동과

분포 | 한국, 일본, 사할린섬, 중국, 헤이룽강, 우수리강

형태 | 낙엽관목

백당나무

서식 산지의 습한 곳에서 자란다.

줄기
- 나무껍질은 불규칙하게 갈라지며 코르크층이 발달한다.
- 새 가지에 잔털이 나며 겨울눈은 달걀 모양이다.

잎
- 잎은 마주나고 넓은 달걀 모양이다.
- 끝이 3개로 갈라져서 양쪽의 것은 밖으로 벌어지지만 위쪽에 달린 잎은 갈라지지 않으며, 가장자리에 톱니가 있다.
- 잎 뒷면 맥 위에 잔털이 나고 잎자루 끝에 2개의 꿀샘이 있다.

꽃
- 꽃은 5~6월에 흰색으로 피고 산방꽃차례에 달린다.
- 꽃이삭 주변에 중성화가 달리고 정상화는 가운데에 달린다.
- 화관은 크기가 다른 5개의 갈래조각으로 갈라진다.
- 정상화는 5개씩의 꽃잎과 수술이 있고 꽃밥은 짙은 자줏빛이다.

열매 열매는 핵과로서 둥글고 붉게 익는다.

이용 정원수로 이용한다.

약용활용

생약명 | 계수조(鷄樹條)

이용부위 | 줄기

채취시기 | 봄, 여름

주치활용 | 관절염, 요통, 타박상, 히스테리, 옴

효능 | 이뇨, 진통, 거풍, 소종, 진경

민간활용 | 민간에서는 열매를 기관지염, 기침, 위궤양, 위통에 달여 먹기도 한다.

2011 © 백량금

학명 | Ardisia crenata

분류 | 쌍떡잎식물 앵초목 자금우과

분포 | 한국(홍도, 제주), 일본, 타이완, 중국 · 인도

형태 | 상록 소관목

백량금

서식 섬 골짜기나 숲의 그늘에서 자란다.

줄기 윗부분에서 가지가 갈라진다.

잎
- 잎은 어긋나고 긴 타원형이다.
- 짙은 초록빛으로서 윤이 나고 가장자리의 둔한 톱니 사이에는 선모가 있다.

꽃
- 꽃은 양성화로서 6~8월에 피는데, 흰 바탕에 검은 점이 있으며 가지와 줄기 끝에 산형 꽃차례로 달린다.
- 꽃받침은 5갈래로 갈라지며 그 조각은 달걀 모양이다.
- 화관도 5갈래로 갈라지며 검은 점이 있다.

열매
- 열매는 핵과로서 둥글고 9월에 붉게 익으며 다음해 새꽃이 필 때까지 달린다.
- 습기가 충분할 때는 제자리에서 싹이 트기도 한다.

약 용 활 용

생약명 | 주사근(朱砂根), 주사근엽(朱砂根葉)

이용부위 | 뿌리, 잎

채취시기 | 가을

주치활용 | 기관지염, 편도선염, 인후염, 임파선염

효능 | 청열, 해독, 억균, 해열, 소염, 활혈, 행어

2011 © 백리향

학명 | Thymus quinquecostatus

분류 | 쌍떡잎식물 통화식물목 꿀풀과

원산지 | 한국

분포 | 한국, 일본, 중국, 몽골, 인도

형태 | 낙엽 반관목

백리향

서식 높은 산꼭대기나 바닷가의 바위 틈에서 자란다.

줄기 원줄기는 땅 위로 퍼져나가고 어린 가지가 비스듬히 서며 향기가 난다.

잎
- 잎은 마주나고 긴 타원형이거나 바소꼴이다.
- 양 면에 선점이 있으며 가장자리는 밋밋하거나 물결 모양의 톱니가 있고 털이 난다.

꽃
- 꽃은 6월에 분홍색으로 피는데, 잎겨드랑이에 2~4개씩 달린다.
- 가지 끝부분에 모여 나므로 수상꽃차례같이 보인다.
- 작은꽃자루는 털이 난다.
- 꽃받침에 10개의 능선이 있다.
- 화관은 붉은 빛을 띤 자주색이고 겉에 잔털과 선점이 있다.
- 수술은 4개이다.

열매 열매는 작은 견과로서 9월에 짙은 갈색으로 익는다.

이용 향기가 있어 관상용으로 심는다.

약용활용

생약명 | 지초(芝草)

이용부위 | 줄기, 잎, 꽃

채취시기 | 봄~여름(6~8월)

약성미 | 성질은 따뜻하고 맛은 맵다.

주치활용 | 토역, 복통, 설사, 식소비창, 풍한해수, 인후종, 치통, 신통, 피부소양

효능 | 발한, 구풍, 진해, 두통, 온중, 산한, 지통, 진경

민간활용 | 햇볕에 말려 잘게 썰은 백리향을 물 한 되에 약재 한 줌 넣고 달여 1일 3회 나누어 다 마시면 백일기침, 해소천식, 기관지염 등에 잘 듣는다.

주의 | 독성을 품고 있으므로 과용하지 말아야 한다.

2011 © 백목련

학명 | Magnolia denudata

분류 | 쌍떡잎식물 미나리아재비목 목련과

원산지 | 중국

형태 | 낙엽교목

백목련

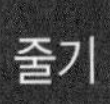

- 나무껍질은 잿빛을 띤 흰색이며 어린 가지와 겨울눈에 털이 난다.
- 줄기는 곧게 서고 가지를 많이 낸다.

- 잎은 어긋나고 달걀을 거꾸로 세워 놓은 모양이거나 긴 타원형이다.
- 가장자리는 밋밋하고 잎자루가 있다.

- 꽃은 3~4월에 잎이 나오기 전에 피고 흰색이며 향기가 강하다.
- 3개의 꽃받침조각과 6개의 꽃잎은 모양이 비슷하고 육질이며 달걀을 거꾸로 세워 놓은 모양이다.
- 수술은 여러 개가 나선 모양으로 붙는다.

열매

- 열매는 골돌과로서 원기둥 모양이며 8~9월에 익고 갈색이다.
- 번식은 접붙이기나 종자로 한다.

이용 겨울에 필봉처럼 달리는 갈색의 큰 꽃눈도 관상 가치가 있어 관상용이나 정원수로 이용한다.

생약명 | 신이(辛夷)

이용부위 | 꽃봉오리, 꽃

채취시기 | 봄(꽃봉오리 피기 전)

약성미 | 성질은 따뜻하고 맛은 맵다.

주치활용 | 거풍산한, 통폐규, 급성비염부비강염, 비색, 과민성비염

효능 | 소염, 홍분, 발산, 강압, 산풍, 국부수렴, 자궁홍분

주의 | 음허화왕자와 기허자 및 두뇌통이 혈허화치에 속한 자, 치통이 위화에 속한 자는 복용을 금한다.

학명 | Salix koreensis

분류 | 쌍떡잎식물 버드나무목 버드나무과

분포 | 한국, 일본, 중국 북동부

형태 | 낙엽교목

버드나무

서식 들이나 냇가에서 흔히 자란다.

줄기 나무껍질은 검은 갈색이고 얕게 갈라지며 작은가지는 노란 빛을 띤 녹색으로 밑으로 처지고 털이 나지만 없어진다.

잎
- 잎은 어긋나고 바소꼴이거나 긴 타원형이다.
- 끝이 뾰족하고 가장자리에 안으로 굽은 톱니가 있다.
- 잎자루는 털이 없거나 약간 난다.

꽃
- 꽃은 4월에 유이꽃차례로 피고 암수 딴 그루이다.
- 수꽃은 꿀샘과 수술이 2개씩이고 수술대 밑에는 털이 난다.
- 암꽃은 1~2개의 꿀샘이 있다.
- 꽃대에 털이 나고 포는 녹색의 달걀 모양이며 털이 난다.
- 씨방은 달걀 모양으로서 자루가 없으며 털이 나고 암술대는 약간 길며 암술머리는 4개이다.

열매 열매는 삭과로서 5월에 익으며 털이 달린 종자가 들어 있다.

이용 가로수와 풍치목으로 심는다.

약 용 활 용

생약명 | 우사류

이용부위 | 줄기잎꽃기타

채취시기 | 속껍질—봄

주치활용 | 치통, 신경통, 관절염

효능 | 수렴, 해열, 이뇨

민간활용 | 버드나무 껍질과 느릅나무 속껍질을 7:3으로 섞어 물로 달여 졸인 것으로 생손앓이, 습진, 부스럼에 바른다.

2011 © 벚나무

학명 | Prunus serrulata var. spontanea

분류 | 쌍떡잎식물 이판화군 장미목 장미과

분포 | 한국, 중국, 일본

형태 | 낙엽교목

벚나무

서식 산지에서 널리 자란다.

줄기
- 나무껍질이 옆으로 벗겨지며 검은 자갈색이다.
- 작은 가지에 털이 없다.

잎
- 잎은 어긋나고 달걀 모양 또는 달걀 모양의 바소꼴로 끝이 급하게 뾰족하다.
- 밑은 둥글거나 넓은 예저이다.
- 잎 가장사리에 침 같은 겹톱니가 있다.
- 털이 없고 처음에는 적갈색 또는 녹갈색이지만 완전히 자라면 앞면은 짙은 녹색, 뒷면은 다소 분백색이 도는 연한 녹색이 된다.
- 잎자루에는 2~4개의 꿀샘이 있다.

꽃
- 꽃은 4~5월에 분홍색 또는 흰색으로 피며 2~5개가 산방상 또는 총상으로 달린다.
- 꽃자루에 포가 있으며 작은꽃자루와 꽃받침통 및 암술대에는 털이 없다.

열매 열매는 둥글고 6~7월에 적색에서 흑색으로 익으며 버찌라고 한다.

이용
- 공원수, 가로수 소재로 적합하다.
- 목재는 건축 · 가구 · 기구 · 비파 · 바이올린 · 피아노 · 오르간 외체 · 무늬단판에 이용된다.

약용활용

생약명 | 화목피(樺木皮)

이용부위 | 껍질

채취시기 | 봄~가을

약성미 | 성질은 차며 맛은 쓰다.

주치활용 | 기침, 담마진, 우육체(민간약)

효능 | 청폐열, 투진

민간활용 | 벚나무 껍질 달인 물을 차로 마시면 기관지와 폐가 튼튼해지고 위장 기능도 좋아지며 피부가 고와진다.

학명 | Rhodotypos scandens

분류 | 쌍떡잎식물 이판화군 장미목 장미과

분포 | 한국(황해도 이남), 일본, 중국

형태 | 낙엽관목

병아리꽃나무

줄기 가지에 털이 없다.

잎
- 잎은 마주나고 달걀 모양으로 가장자리에 겹톱니가 있다.
- 앞면은 짙은 녹색이고 주름이 지며, 뒷면은 연한 녹색으로 긴 털이 있고, 턱잎은 일찍 떨어진다.

꽃
- 잎은 호생하며 기수1회 우상복엽으로 13~25매의 소엽으로 되어 있다.
- 소엽은 장난형~난형상피침형으로 점첨두이고 원저에 가깝다.
- 소엽의 하부에 2~4개의 파상거치가 있으며 각 거치의 끝에 선점이 있다.

열매 열매는 견과로 9월에 성숙하며 꽃은 관상용으로 가치가 높다.

약용활용

생약명 | 계마(鷄麻)

이용부위 | 열매와 뿌리

채취시기 | 열매에는 독(맹독)이 있다.

주치활용 | 호습곤란, 무기력증, 흥분, 동공확대, 복통, 구토, 경련, 마비

학명 | Elaeagnus umbellata

분류 | 쌍떡잎식물 이판화군 도금양목 보리수나무과

분포 | 한국(평남 이남), 일본

형태 | 낙엽관목

보리수나무

서식 산비탈의 풀밭에서 자란다.

줄기 가지는 은백색 또는 갈색이다.

잎
- 잎은 어긋나고 긴 타원형의 바소꼴이다.
- 가장자리가 밋밋하고 은백색의 비늘털로 덮이지만 앞면의 것은 떨어진다.

꽃
- 꽃은 5~6월에 피고 처음에는 흰색이다가 연한 노란색으로 변한다.
- 1~7개가 산형꽃차례로 잎겨드랑이에 달린다.
- 화관은 통형이며 끝이 4개로 갈라진다.
- 수술은 4개, 암술은 1개이며 암술대에 비늘털이 있다.

열매 열매는 둥글고 10월에 붉게 익는다.

이용 잼 · 파이의 원료로 이용하고 생식도 한다.

약 용 활 용

생약명 | 우내자(牛奶子)

이용부위 | 뿌리, 잎, 열매

채취시기 | 열매—가을(10월), 잎—여름~가을(8~10월), 껍질—겨울(12~다음해 1월)

약성미 | 성질은 평하고 맛은 시고 달고 떫다.

주치활용 | 기침, 설사, 이질, 대하

효능 | 자양, 진해, 지혈

민간활용 | 나뭇잎을 진하게 달여 그 즙을 티눈에 바르면 낫는다. 잎이나 나뭇껍질을 말려 두고 달여 마시면 십이지장에 좋다. 뿌리는 달여서 목 안이 아플 때 쓴다. 발열성 해수에 뿌리나 가지를 달여 먹으면 효과가 있다.

학명 | Elaeagnus glabra

분류 | 쌍떡잎식물 이판화군 도금양목 보리수나무과

분포 | 한국, 일본, 중국

생육상 | 상록 덩굴식물

보리장나무

서식 섬지방에서 자란다.

줄기 줄기가 길게 자라며 가지에 갈색 비늘털이 있어 녹보리똥나무와 비슷하지만 잎이 좁다.

잎
- 잎은 어긋나고 긴 타원형이다.
- 양 끝이 좁고 가장자리는 물결 모양이며 비늘털이 있다.
- 앞면의 것은 없어진다.
- 잎자루에 비늘털이 있다.

꽃
- 꽃은 10~11월에 잎겨드랑이에 모여 달리며 흰색이다.
- 꽃자루는 적갈색의 비늘털이 있다.
- 꽃받침통은 가늘고 씨방과 연결되며 끝이 4개로 갈라진다.

열매 열매는 타원형 또는 긴 타원형이고 4~5월에 성숙하고 적갈색 비늘털로 덮이며 식용한다.

이용
- 열매는 수렴작용이 있다.
- 뿌리는 요로결석에 효과가 있다.
- 잎은 진해작용이 있다.

약용활용

생약명 | 열매—만호퇴자(蔓胡頹子), 잎—만호퇴자엽(蔓胡頹子葉)

이용부위 | 열매 , 뿌리. 잎

채취시기 | 열매—봄에 채취, 뿌리 또는 근피(根皮)—연중 수시로 채취, 잎—연중 수시로 채취

약성미 | 성질은 평하고 맛은 시다.

주치활용 | 장염에 의한 하리

효능 | 수렴, 지사

2011 © 복분자딸기

학명 | Rubus coreanus

분류 | 쌍떡잎식물 이판화군 장미목 장미과

분포 | 한국, 중국, 일본

형태 | 낙엽관목

복분자딸기

서식 산록 양지에서 자란다.

뿌리 끝이 휘어져서 땅에 닿으면 뿌리가 내린다.

줄기 줄기는 자줏빛이 도는 붉은색이며 새로 나는 가지에는 흰가루가 있다.

잎
- 잎은 어긋나고 5~7개의 작은잎으로 된 깃꼴겹잎이다.
- 작은잎은 달걀 모양 또는 타원형으로 불규칙하고 뾰족한 톱니가 있으며 솜털로 덮였으나 뒷면 맥 위에만 약간 남는다.
- 잎자루는 줄기와 더불어 굽은 가시가 있다.

꽃
- 5~6월에 연한 홍색 꽃이 산방꽃차례로 달린다.
- 꽃받침잎은 털이 있는 달걀 모양의 바소꼴인데 꽃이 지면 뒤로 말린다.

열매 자방은 털이 있으며 열매는 장과로 7~8월에 붉게 익으나 점차 검게 된다.

이용 열매는 딸기와 같이 생으로 먹는다.

약용활용

생약명 | 복분자(覆盆子)

이용부위 | 덜익은 열매

채취시기 | 여름(8월)

약성미 | 성질은 따뜻하고 맛은 시고 달며 독이 없다.

주치활용 | 신허유뇨, 소변빈삭, 양위조설, 유정활정

효능 | 익신, 고정, 축뇨

민간활용 | 열매를 생으로 먹으면 강장제가 되고 보혈 · 청량 · 지갈 · 심계항진 · 이뇨 · 호흡질환 · 천식 등에 효과가 있다고 한다.

주의 | 신허유화 · 소변단삽 자는 복용에 신중을 기해야 한다.

2011 © 복숭아나무

학명 | Prunus persica

분류 | 쌍떡잎식물 이판화군 장미목 장미과

원산지 | 중국 황허강유역의 고원지대와 동북부 및 한국에 걸친 넓은 지역

형태 | 낙엽 소교목

복숭아나무

줄기 나무줄기나 가지에 수지가 들어 있어, 상처가 나면 분비된다.

- 잎은 어긋나고 바소꼴 또는 거꾸로 선 바소꼴로 넓다.
- 톱니가 있고, 잎자루에는 꿀샘이 있다.

꽃 꽃은 4~5월에 잎보다 먼저 흰색 또는 옅은 홍색으로 피며, 꽃잎은 5장이다.

열매
- 열매는 핵과로 7~8월에 익는다.
- 열매는 식용하고, 씨앗은 약재로 사용한다.

약 용 활 용

생약명 | 도인(桃仁), 도근(桃根), 도엽(桃葉)

이용부위 | 열매

채취시기 | 도인－여름(7~8월), 도화－4월(음력 3월 3일), 백도화－봄(4~5월)

약성미 | 성질은 평하고 맛은 쓰고 달며 독이 없다.

주치활용 | 질박손상, 장조변비

효능 | 활혈, 거어, 통경, 윤장, 통변, 지혈, 진해, 진통, 항염

민간활용 | 복숭아는 부인병에 아주 좋고 꽃, 잎, 열매, 껍질, 뿌리 모두가 약이 된다.

학명 | Acer triflorum

분류 | 쌍떡잎식물 이판화군 무환자나무목 단풍나무과

분포 | 한국, 중국 북동부

형태 | 낙엽교목

복자기나무

서식 숲속에서 자란다.

줄기 나무껍질이 회백색이고 가지는 붉은 빛이 돌며 겨울눈은 검은색이고 달걀 모양이다.

잎
- 잎은 마주나고 3개의 작은잎으로 구성된다.
- 작은잎은 긴 타원형의 달걀 모양 또는 긴 타원형 바소꼴로 가장자리에 2~4개의 톱니와 더불어 굵은 털이 있다.
- 잎자루는 털이 있다.

꽃 꽃은 5월에 피고 잡성이며, 3개가 산방상으로 달리고 꽃가지에는 갈색 털이 있다.

열매
- 열매는 시과로 회백색이고 나무처럼 딱딱하며 겉에 센 털이 밀생하고 9~10월에 익으며 날개는 둔각으로 벌어진다.
- 가을에 잎이 붉게 물들어 아름답다.

이용 목재는 가구재 · 무늬합판 등 고급 용재로 쓰인다.

약용활용

생약명 | 우근자(牛筋子)

이용부위 | 잎껍질기타

채취시기 | 봄, 가을

주치활용 | 수액은 해수, 천식

학명 | Rhus chinensis

분류 | 쌍떡잎식물 무환자나무목 옻나무과

분포 | 한국, 일본, 중국, 인도

형태 | 낙엽관목

붉나무

서식 산지에서 자란다.

줄기 굵은 가지는 드문드문 나오며 작은 가지에는 노란 빛을 띤 갈색 털이 있다.

잎
- 잎은 어긋나고 7~13개의 작은잎으로 된 깃꼴겹잎이며 우축에 날개가 있다.
- 작은잎은 달걀 모양으로 굵은 톱니가 있고 뒷면에 갈색 털이 있다.

꽃
- 꽃은 2가화로 줄기 끝 잎겨드랑이에서 원추꽃차례가 나와 달리고 노란 빛을 띤 흰색이며 꽃이삭에 털이 있다.
- 꽃받침조각 · 꽃잎은 각각 5개씩이고, 암꽃에는 퇴화한 5개의 수술과 3개의 암술대가 달린 1개의 씨방이 있다.

열매
- 열매는 편구형 핵과로서 노란 빛을 띤 붉은색이며 노란 빛을 띤 갈색의 털로 덮이고 10월에 익는다.
- 맛은 시고 짠맛이 나는 껍질로 덮인다.

이용
- 잎은 가을에 빨갛게 단풍이 들고 가지를 불사르면 폭음이 난다.
- 잎자루 날개에 진딧물의 1종이 기생하여 벌레혹(충영)을 만들며 이것을 오배자(五倍子)라고 한다.
- 오배자는 타닌이 많이 들어 있어 약용하거나 잉크의 원료로 한다.

약용활용

생약명 | 염부자(鹽膚子)

이용부위 | 열매, 잎, 줄기

채취시기 | 열매–가을, 잎–여름, 줄기 껍질–수시

약성미 | 성질은 서늘하고 맛은 짜며 떫다.

주치활용 | 기침, 요퇴통, 골절, 외상출혈, 창절, 만성기관지염, 수종, 황달, 타박상, 종독, 창개, 사교상

효능 | 거풍습, 산어혈, 청열, 해독

주의 | 옻나무와 혼동되므로 구별을 잘해야 한다.

학명 | Illicium religiosum

분류 | 쌍떡잎식물 미나리아재비목 붓순나무과

분포 | 한국, 일본, 타이완, 중국

형태 | 상록관목

붓순나무

줄기
- 어린 가지는 녹색이며 털이 없다.
- 수피는 어두운 회색 빛을 띤 갈색이며 어린 가지는 평활하나 늙으면 세로로 얕게 갈라진다.

잎
- 잎은 어긋나고 딱딱하며 긴 타원형으로 양 끝이 급하게 뾰족해지고 가장자리가 밋밋하다.
- 잎 양면에는 털이 없고 혁질이며 광택이 있다.

꽃
- 꽃은 4월에 피고 녹색빛을 띤 흰색이며 잎겨드랑이에 1개씩 달린다.
- 꽃받침조각은 6개, 꽃잎은 12개이며 줄 모양으로 형태가 서로 비슷하고 수술은 많다.

열매
- 열매는 골돌과로서 심피가 바람개비처럼 배열하고 8각이므로 중국에서는 이와 비슷한 종에 팔각이라는 이름이 있다.
- 외과피는 육질이고 내과피는 딱딱하다.
- 종자는 타원형이고 노란 빛을 띤 갈색으로 광택이 있으며 독이 있다.

약용활용

생약명 | 동독회(東毒茴)

이용부위 | 잎, 열매

채취시기 | 가을

약성미 | 독성이 있다.

효능 | 건위제, 구풍제

민간활용 | 잎과 열매는 곪은 피부에 살균효과와 피부조직의 재생을 촉진시킨다.

주의 | 열매의 모양이 향신료 약재로 쓰이는 대회향과 흡사하며 중국 요리에 흔히 쓰이고 과실주도 담는 회향으로 오인하여 큰 사고를 일으킬 수 있으므로 주의해야 한다. 전체에 맹독이 있다. 중독되면 처음에는 구토, 설사, 현기증 등을 일으키며 나중에 호흡 곤란, 혈압 상승으로 죽게 된다.

2011 © 비목나무

학명 | Lindera erythrocarpa

분류 | 쌍떡잎식물 미나리아재비목 녹나무과

분포 | 한국, 일본, 중국

형태 | 낙엽교목

비목나무

서식 수피는 노란 빛을 띤 흰색이고 늙은 나무에서는 조각으로 떨어지며 털이 없다.

잎
- 잎은 어긋나고 거꾸로 세운 듯한 바소꼴이며 가장자리가 밋밋하다.
- 잎에는 털이 있으나 점차 없어지며 잎 뒷면은 흰빛이 돈다.
- 잎자루는 붉은 빛이 돈다.

꽃
- 암수 딴 그루이다.
- 꽃은 4~5월에 단성화로 피고 연한 노란색이며 산형꽃차례에 달린다.
- 수꽃은 6개로 갈라진 화피와 2줄로 배열된 9개의 수술이 있다.
- 암꽃은 1개의 암술이 있다.

열매 열매는 장과로서 둥글고 9월에 붉은색으로 익는다.

이용 기구재로 이용한다.

약 용 활 용

생약명 | 첨당과(詹糖果)

이용부위 | 줄기잎

주치활용 | 중풍불어, 심복냉통, 감기, 근골동통, 타박상

효능 | 거풍, 해독, 산어, 지혈, 이뇨

2011 © 비수리

학명 | Lespedeza cuneata

분류 | 쌍떡잎식물 장미목 콩과

분포 | 한국, 일본, 타이완, 인도, 오스트레일리아

형태 | 반관목

비수리

서식 산기슭 이하에서 자란다.

줄기 줄기는 곧게 서고 가늘고 짧은 가지는 많으며 능선과 더불어 털이 있다.

잎
- 잎은 어긋나고 작은잎이 3장씩 나온 겹잎이다.
- 작은잎은 줄 모양의 거꾸로 세운 듯한 바소꼴이고 뒷면에 털이 있다.

꽃
- 꽃은 8~9월에 피고 잎겨드랑이에 산형으로 달리며 흰색이다.
- 꽃받침은 밑까지 깊게 5개로 갈라지고 각 갈래조각에 1맥이 있다.
- 꽃잎은 흰 바탕에 자줏빛 줄이 있고 기판 중앙은 자줏빛이다.
- 10개의 수술 중 아래쪽 9개는 합쳐진다.

열매 꼬투리는 편평한 달걀 모양이고 털과 그물맥이 있으며 1개의 종자가 들어 있다.

약 용 활 용

생약명 | 야관문(夜關門)

이용부위 | 전체뿌리

채취시기 | 여름~가을(8~9월)

약성미 | 성질은 서늘하고 맛은 쓰고 맵다.

주치활용 | 백대, 천효, 위통, 노상, 소아 감적, 하리, 타박상, 시력감퇴, 목적 결막염, 유정, 유뇨, 백탁, 급성유선염

효능 | 간·신을 보하고 폐음을 보익하며 산어, 소종, 진해, 소염, 거담, 항균

2011 © 비자나무

학명 | Torreya nucifera

분류 | 겉씨식물 구과목 주목과

분포 | 한국(내장산), 일본

형태 | 상록교목

비자나무

줄기
- 가지가 사방으로 퍼진다.
- 수피는 회색 빛을 띤 갈색이며 늙은 나무에서는 얇게 갈라져서 떨어진다.

잎
- 잎은 줄 모양으로 단단하며 끝이 뾰족하고 깃꼴처럼 2줄로 배열한다.
- 잎 표면은 짙은 녹색, 뒷면은 갈색이며 중륵은 뒷면에만 있다.
- 잎자루가 있고 6~7년 만에 떨어진다.

꽃
- 꽃은 단싱화이며 4월에 핀다.
- 수꽃은 10개 내외의 포가 있는데 갈색이며 10여 개의 꽃이 한 꽃자루에 날린다.
- 암꽃은 모양이 일정하지 않은 달걀 모양으로서 한 군데에 2~3개씩 달리고 5~6개의 녹색 포로 싸인다.

열매
- 열매는 다음해 9~10월에 익고 타원형이다.
- 종자는 타원형이고 다갈색이며 껍질이 딱딱하다.

이용
- 종자만을 비자라고 하며 약용한다.
- 목재는 질이 좋기 때문에 각종 기구재, 특히 바둑판으로서 귀중한 재목이다.
- 기름을 짜서 식용하며, 공해에 강하므로 가로수로 적합하다.

약 용 활 용

생약명 | 비자(榧子)
이용부위 | 꽃, 열매, 뿌리껍질
채취시기 | 늦가을
약성미 | 맛은 달고 성질은 평하고 독이 없다.
주치활용 | 충적복통, 소아감적, 조해, 변비, 치창
효능 | 살충, 소적, 윤조통변
주의 | 과다하게 복용하면 활장작용이 있다.

2011 © 비파나무

학명 | Eriobotrya japonica

분류 | 쌍떡잎식물 장미목 장미과

분포 | 한국, 일본, 중국

형태 | 상록소교목

비파나무

줄기 가지가 굵고 잎 뒷면과 더불어 연한 노란 빛을 띤 갈색 털이 빽빽이 난다.

잎
- 잎은 어긋나고 거꾸로 세운 듯한 넓은 바소꼴이며 가장자리에 이 모양 톱니가 있다.
- 잎 표면는 털이 없고 윤기가 난다.

꽃
- 꽃은 10~11월에 흰색으로 피고 원추꽃차례는 가지 끝에 달리며 연한 갈색 털이 빽빽이 난다.
- 꽃받침조각과 꽃잎은 각각 5개씩이다.

열매 열매는 구형 또는 타원형으로, 다음해 6월에 노란색으로 익는다.

이용
- 열매는 식용 또는 통조림으로 한다.
- 종자는 행인 대용으로 쓴다.

약 용 활 용

생약명 | 비파(枇杷)

이용부위 | 열매

채취시기 | 여름

약성미 | 성질은 서늘하고 맛은 달고 시다.

주치활용 | 폐병에 의한 해수, 토혈, 비혈, 소갈, 구토

효능 | 윤폐, 지갈, 하기, 진해, 건위, 이뇨

주의 | 열매를많이 먹으면 담을 발생시키고 비허골설자는 복용을 금한다.

2011 © 뽕나무

학명 | Morus

분류 | 쌍떡잎식물 쐐기풀목 뽕나무과 뽕나무속

원산지 | 온대 · 아열대 지방

형태 | 낙엽교목 또는 관목의 총칭

뽕나무

줄기 작은 가지는 회색 빛을 띤 갈색 또는 회색 빛을 띤 흰색이고 잔 털이 있으나 점차 없어진다.

잎
- 잎은 달걀 모양 원형 또는 긴 타원 모양 원형이다.
- 3~5개로 갈라지고, 가장자리에 둔한 톱니가 있으며 끝이 뾰족하다.
- 잎자루와 더불어 뒷면 맥 위에 잔 털이 있다.

꽃
- 꽃은 2가화(二家花)로 6월에 핀다.
- 수꽃이삭은 새 가지 밑부분 잎겨드랑이에서 처지는 미상꽃차례에 달린다.
- 암술대는 거의 없고 암술머리는 2개이다.

열매 씨방은 털이 없고 열매는 6월에 검은색으로 익는다.

이용 잎은 누에를 기르는 데 이용되며, 열매를 오디라고 하는데 술을 담기도 하고 생으로 먹기도 한다.

약용활용

생약명 | 상백피(桑白皮)

이용부위 | 잎, 뿌리껍질, 가시, 열매, 줄기껍질

채취시기 | 상엽-가을(10~11월), 상근백피-겨울, 상지-늦봄~초여름, 상심-봄(4~6월), 상기생-초봄~겨울

약성미 | 성질은 차고 맛은 달고 독이 없다.

주치활용 | 소갈증, 실면, 구건설조, 혈허변조, 간음부족, 양항현운

효능 | 자음, 보혈, 자액, 자양, 윤장

민간활용 | 잘 익은 오디를 물에 담가 햇볕에 쬐여 찧어 바르면 검은 머리털이 다시 난다.

주의 | 비허변당자는 좋지 않다.

2011 © 사과나무

학명 | Malus pumila var. dulcissima

분류 | 쌍떡잎식물 장미목 장미과

분포 | 세계 각지

형태 | 낙엽교목

사과나무

서식 주요 과수의 하나로 널리 재배하고 있다.

줄기 작은가지는 자주빛이다.

잎 잎은 어긋나고 타원형 또는 달걀 모양으로 톱니가 있으며 맥 위에 털이 있다.

꽃 꽃은 4~5월에 피고 흰색 꽃이 잎과 함께 가지 끝 잎겨드랑이에서 나와 산형으로 달린다.

열매 열매는 8~9월에 익으며 많은 재배종이 있다.

생약명 | 평과(苹果)

이용부위 | 가을

채취시기 | 가을(9~10월)

약성미 | 성질이 차고 맛은 달고 약간 신맛이 있다.

주치활용 | 변비, 소화불량, 간경변증, 두통, 가래톳, 설사, 화상, 결막염, 젖먹이소화불량, 식체, 급성위염, 빈혈증, 소갈

효능 | 거담제

민간활용 | 동맥경화증—염분의 과다 섭취는 동맥경화증의 예방상 좋지 않다. 사과를 먹으면 염분 배설에 도움이 된다.

학명 | Populus davidiana

분류 | 쌍떡잎식물 버드나무목 버드나무과

분포 | 한국, 중국, 시베리아 동부

형태 | 낙엽활엽 교목

사시나무

서식 산지에서 자란다.

줄기 나무껍질은 검은 빛을 띤 갈색이며 오랫동안 갈라지지 않고, 작은가지와 겨울눈에 털이 없다.

잎
· 잎은 어긋나고 둥글거나 달걀 모양이다.
· 가장자리에 얕은 톱니가 있고 잎자루는 납작하며 턱잎은 일찍 떨어진다.

꽃
· 꽃은 암수 딴 그루로서 4월에 피고 미상꽃차례에 달린다.
· 수꽃의 포(苞)는 둥글고 톱니가 있으며 일찍 떨어진다.
· 수술은 6~12개, 암술은 1개씩이며 암술머리는 2~3개이다.
· 화피는 통처럼 생기고 꽃잎과 꽃받침의 구별이 없다.
· 씨방은 달걀 모양이고 열매는 삭과로서 긴 타원형이며 5월에 익는다.

이용 상자류, 신탄재, 성냥개비, 제지용, 기구재, 등으로 사용한다.

약용활용

생약명 | 백양수피(白楊樹皮)

이용부위 | 줄기껍질, 가지, 잎

채취시기 | 줄기 껍질—봄, 가지, 잎—수시

약성미 | 성질은 평하고 맛은 쓰다.

주치활용 | 폐열해수, 화담지해, 천만, 허해, 임탁, 회충복통, 백대, 임신하리

효능 | 거풍행어, 소담

민간활용 | 관절염은 사시나무 껍질을 벗겨 깨끗하게 씻은 다음 잘게 썰어서 말려 두고 쓴다.

학명 | Euonymus japonica

분류 | 쌍떡잎식물 무환자나무목 노박덩굴과

분포 | 동아시아

형태 | 상록관목

사철나무

서식 바닷가 산기슭의 반 그늘진 곳이나 인가 근처에서 자란다.

줄기 털이 없고 작은 가지는 녹색이다.

잎
- 잎은 마주나고 두꺼우며 타원형이다.
- 양끝이 좁고 가장자리에 둔한 톱니가 있으며 앞면은 짙은 녹색이고 윤이 나며 털이 없다.
- 뒷면은 노란 빛을 띤 녹색이다.

꽃
- 꽃은 6~7월에 연한 노란 빛을 띤 녹색으로 피고 잎겨드랑이에 취산꽃차례로 날린다.
- 조금 납작한 꽃자루에 많은 꽃이 빽빽이 핀다.
- 수술은 4개, 암술은 1개이다.

열매 열매는 둥근 삭과로서 10월에 붉은색으로 익으며 4개로 갈라져서 붉은 가종피로 싸인 종자가 나온다.

이용 정원수나 생울타리용수, 경계식재, 차폐식재, 방화수 등으로 이용된다.

약용활용

생약명 | 조경초(調經草)

이용부위 | 뿌리

채취시기 | 뿌리－연중, 수피－여름(7~8월)

약성미 | 성질은 따뜻하고 맛은 맵다.

주치활용 | 월경불순, 월경통

효능 | 조경, 화어

민간활용 | 민간에서 잎과 열매의 추출액을 만들어 해산 때의 아픔과 월경장애 때 먹으며 껍질은 진경약 기침약으로 쓴다.

2011 © 산딸나무

학명 | Cornus kousa

분류 | 쌍떡잎식물 산형화목 층층나무과

분포 | 한국, 일본, 중국

형태 | 낙엽소교목

산딸나무

서식 산지의 숲에서 자란다.

줄기 가지가 층층나무처럼 퍼진다.

잎
- 잎은 마주나고 달걀 모양 타원형이다.
- 끝이 뾰족하고 밑은 넓은 쐐기 모양이며 가장자리에 톱니가 없으나 약간 물결 모양이다.
- 뒷면 맥액에 털이 빽빽이 난다.
- 결맥은 4~5쌍이나.

꽃
- 꽃은 양성화로서 6월에 피고 짧은 가지 끝에 두상꽃차례로 모여 달리며 꽃잎 같은 4개의 하얀 포로 싸인다.
- 포조각은 좁은 달걀 모양이다.
- 꽃잎과 수술은 4개씩이고 암술은 1개이며 20~30개가 모여서 달린다.

열매 열매는 취과로서 딸기처럼 모여 달리며 10월에 붉은 빛으로 익는다.

이용
- 관상 가치가 있는 식물이다.
- 기구재나 땔감으로 사용한다.

약용활용

생약명 | 야여지(野荔枝)

이용부위 | 잎, 꽃, 열매

채취시기 | 열매–가을, 잎–수시

약성미 | 성질은 평하고 맛은 달다. 잎은 떫다.

주치활용 | 골절상, 외상 출혈, 이질

효능 | 수렴, 지혈, 지리, 속골

2011 © 산벚나무

학명 | Prunus sargentii

분류 | 쌍떡잎식물 장미목 장미과

분포 | 한국, 일본, 사할린섬 등지

형태 | 낙엽교목

산벚나무

서식 바닷가의 숲속에서 자란다.

줄기 벚나무와 비슷하나 작은가지가 더 굵고 털이 없으며 나무껍질은 짙은 갈색이다.

잎
- 잎은 어긋나고 타원형이거나 심장밑 모양이다.
- 끝은 뾰족하며 가장자리에 삼각형의 톱니가 있다.
- 겉면에 털이 약간 나기도 하고 뒷면은 흰색이다.
- 잎자루는 윗부분에 1쌍의 붉은색 꿀샘이 있다.

꽃
- 꽃은 4월에 연한 붉은색으로 핀다.
- 꽃자루가 없으며 산형꽃차례로 달린다.
- 꽃이삭에 털이 없고 꽃받침조각은 긴 타원형이며 가장자리가 밋밋하다.
- 꽃잎은 둥글고 끝이 오목하며 암술대와 씨방에 털이 없다.

열매 열매는 핵과로서 공 모양이며 6월에 검은 빛으로 익는다.

이용 열매는 식용하며 관상용으로 심는다.

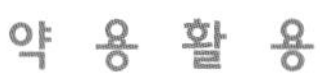

생약명 | 천악앵화(川鄂櫻花)

이용부위 | 껍질

채취시기 | 생육 기간 중

주치활용 | 해수, 피부염, 심마진, 소양

효능 | 진해, 해독

주의 | 많이 복용하면 창증이 생긴다.

2011 © 산뽕나무

학명 | Morus bombycis

분류 | 쌍떡잎식물 쐐기풀목 뽕나무과

분포 | 한국, 일본, 중국, 타이완, 사할린섬 등지

형태 | 낙엽소교목

산뽕나무

서식 산지나 논밭둑에서 자란다.

줄기
- 나무껍질은 잿빛을 띤 갈색이다.
- 작은 가지는 잔털이 나거나 없고 점차 검은 빛을 띤 갈색이 된다.

잎
- 잎은 달걀 모양이거나 넓은 달걀 모양이다.
- 가장자리에 불규칙하고 날카로운 톱니가 있고, 뒷면 주맥 위에 털이 약간 나며 끝이 꼬리처럼 길다.
- 턱잎은 일찍 떨어지고 잎자루에는 잔털이 난다.

꽃
- 꽃은 암수 딴 그루이거나 웅성화로서 5월에 핀다.
- 수꽃이삭은 새 가지 밑에서 아래로 처지고, 암꽃이삭은 녹색 타원형이며 꽃자루에 잔털이 나고 암술머리는 2개이다.

열매 열매는 집합과로서 6월에 자줏빛을 띤 검은색으로 익으며, 육질로 되는 화피가 합쳐져서 1개의 열매처럼 된다.

이용 기구재 · 조각재 · 조림수 등으로 쓰고 잎은 누에의 사료, 나무껍질은 약용이나 제지용으로 쓴다.

약용활용

생약명 | 상백피(桑白皮)

이용부위 | 뿌리껍질

채취시기 | 열매―봄, 여름, 잎―서리 내린 뒤, 뿌리껍질―봄(5~7월), 가지―싹트기 전

약성미 | 성질은 따뜻하고 맛은 달다.

주치활용 | 장풍사혈과 부인의 심복통, 하혈

효능 | 거풍, 활락, 진정, 활혈

2011 © 산사나무

학명 | Crataegus pinnatifida

분류 | 쌍떡잎식물 장미목 장미과

분포 | 한국, 중국, 시베리아 등

형태 | 낙엽활엽 소교목

산사나무

서식 산지에서 자란다.

줄기 나무껍질은 잿빛이고 가지에 가시가 있다.

잎
- 잎은 어긋나고 달걀 모양에 가깝다.
- 가장자리가 깃처럼 갈라지고 밑부분은 더욱 깊게 갈라진다.
- 양면 맥 위에 털이 나고 가장자리에 불규칙한 톱니가 있다.

꽃
- 꽃은 5월에 흰색으로 피고 산방꽃차례에 달린다.
- 꽃잎은 둥글며 꽃받침조각과 더불어 5개씩이다.
- 수술은 20개이며 암술대는 3~5개, 꽃밥은 붉은색이다.

열매
- 열매는 이과로서 둥글며 흰 반점이 있다.
- 9~10월에 붉은 빛으로 익는다.

이용
- 늦봄의 흰색 꽃과 가을의 붉은 열매가 관상의 대상이 되는 수종이다.
- 꽃과 열매가 아름다워 정원수나 공원수로 심어도 좋다.
- 열매의 신맛을 살려 떡, 술, 정과 등 별미의 음식을 만드는 데도 쓰인다.

약 용 활 용

생약명 | 산사자(山査子)

이용부위 | 열매

채취시기 | 가을(10월)

약성미 | 성질은 약간 따뜻하고 맛은 시고 달다.

주치활용 | 소화불량, 육적, 소아유식정체, 담음비만, 장염, 산기, 요통, 월경통, 심장병, 고혈압, 고지혈증, 동상, 관절통

효능 | 강장, 혈액순환

2011 © 산수국

학명 | Hydrangea serrata for. acuminata

분류 | 쌍떡잎식물 장미목 범의귀과

분포 | 한국, 일본, 타이완

형태 | 생육상 낙엽관목

산수국

서식 산골짜기나 자갈밭에서 자란다.

줄기 작은 가지에 털이 난다.

잎
- 잎은 마주나고 긴 타원형이며 끝은 흔히 뾰족하며 밑은 둥근 모양이거나 뾰족하다.
- 가장자리에 뾰족한 톱니가 있고 겉면의 겉맥과 뒷면 맥 위에 털이 난다.

꽃
- 꽃은 7~8월에 흰색과 하늘색으로 피며 가지 끝에 산방꽃차례로 달린다.
- 주변의 중성화는 꽃받침조각이 3~5개이며 꽃잎처럼 생기고 중앙에는 양성화가 달린다.
- 꽃받침조각과 꽃잎은 5개, 수술은 5개이고 암술대는 3~4개이다.

열매 열매는 삭과로서 달걀 모양이며 9월에 익는다.

이용 원예 및 조경용으로 사용한다.

생약명 | 수구(繡球)

이용부위 | 뿌리껍질

약성미 | 강한 독이 있다.

주치활용 | 학질, 해열, 종기, 피로회복

효능 | 해열, 소종

2011 © 산수유나무

학명 | Cornus officinalis

분류 | 쌍떡잎식물 산형화목 층층나무과

원산지 | 한국

분포 | 한국(중부 이남)

형태 | 낙엽교목

산수유나무

서식 산지나 인가 부근에서 자란다.

줄기 나무껍질은 불규칙하게 벗겨지며 연한 갈색이다.

잎
- 잎은 마주나고 달걀 모양 바소꼴이다.
- 가장자리가 밋밋하고 끝이 뾰족하며 밑은 둥글다.
- 뒷면에 갈색 털이 빽빽이 나고 곁맥은 4~7쌍이다.

꽃
- 꽃은 양성화로서 3~4월에 잎보다 먼저 노란색으로 핀다.
- 20~30개의 꽃이 산형꽃차례에 달린다.
- 총포조각은 4개이고 노란색이다.
- 꽃잎은 4개이고 긴 타원 모양 바소꼴이다.
- 수술 4개, 암술 1개이고 씨방은 털이 나며 하위(下位)이다.

열매
- 열매는 핵과로서 타원형이며 윤이 나고 8~10월에 붉게 익는다.
- 종자는 긴 타원형이며 능선이 있다.

이용 첨경수, 독립수, 정원수, 유실수로도 많이 심는다.

약용활용

생약명 | 산수유(山茱萸)

이용부위 | 열매

채취시기 | 가을(9~10월)

약성미 | 성질은 약간 따뜻하고 맛은 시고 떫다.

주치활용 | 두운, 목현, 이명, 요산, 유정, 유뇨, 소변빈수, 대한욕탈, 뇨의빈수, 허한부지

효능 | 보익간신, 삽정, 염한

주의 | 산수유는 온보수염제이기 때문에 명문화치, 습열 또는 소변 불리자에게는 부적합하다.

학명 | Vaccinium hirtum var. koreanum (Nakai) Kitam. Ericaceae

분류 | 쌍떡잎식물 진달래목 진달래과

분포 | 전국 각처의 산지

형태 | 낙엽교목

산앵두나무

서식 산 중턱 이상에서 자란다.

줄기 가지에 털이 난다.

잎
· 잎은 어긋나고 넓은 바소꼴이거나 달걀 모양이다.
· 양 끝이 뾰족하고 뒷면 맥 위에 털이 난다.
· 가장자리에 안으로 굽은 잔 톱니가 있으며 잎자루는 짧다.

꽃
· 꽃은 양성화로서 5~6월에 붉은 빛으로 핀다.
· 묵은 가지에서 자라는 총상꽃차례에 아래를 향하여 달린다.
· 꽃받침은 5개로 갈라지고 화관은 통처럼 생기며 끝이 얕게 5개로 갈라진다.
· 수술은 5개이고 수술대에 털이 난다.

열매 열매는 장과로서 둥글고 끝에 꽃받침조각이 남아 있으며 9월에 붉게 익는다.

이용 열매를 식용한다.

약용활용

생약명 | 욱이인(郁李仁)
이용부위 | 종자
채취시기 | 여름(7~8월)
약성미 | 성질은 평하고 맛은 맵고 쓰다.
주치활용 | 수종, 각기, 소변 불리, 복부 팽대, 사지 부종
효능 | 대장기체, 조삽불통
주의 | 대변이 무른 환자는 복용하지 말아야 한다.

학명 | Zanthoxylum schinifolium

분류 | 쌍떡잎식물 쥐손이풀목 운향과

분포 | 한국, 일본, 중국 등지

형태 | 낙엽관목

산초나무

서식 산지에서 자란다.

줄기 잔가지는 가시가 있으며 붉은 빛이 도는 갈색이다.

잎
- 잎은 어긋나고 13~21개의 작은잎으로 구성된 깃꼴겹잎이다.
- 작은잎은 넓은 바소꼴이며 양 끝이 좁고 가장자리에 물결 모양의 톱니와 더불어 투명한 유점(油點)이 있다.

꽃
- 꽃은 암수 딴 그루이고 8~9월에 흰색으로 피며 가지 끝에 산방꽃차례를 이루며 달린다.
- 작은꽃자루에 마디가 있고, 꽃받침은 5개로 갈라지며 갈라진 조각은 달걀 모양의 원형이다.
- 꽃잎은 5개이고 바소꼴이며 안으로 꼬부라진다.
- 수술은 꽃잎과 길이가 같고, 암술은 암술머리가 3개로 갈라진다.

열매 열매는 삭과이고 둥글며 녹색을 띤 갈색이며 다 익으면 3개로 갈라져서 검은 색의 종자가 나온다.

이용 열매는 익기 전에 따서 식용으로 하고, 다 익은 종자에서 기름을 짠다.

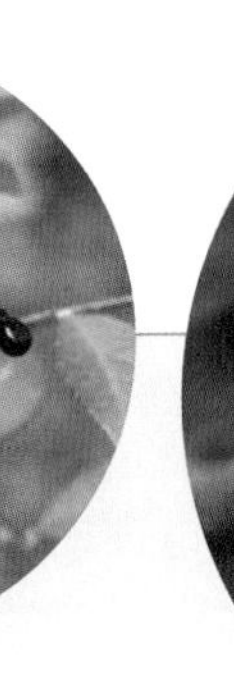

생약명 | 야초(野椒)

이용부위 | 열매

채취시기 | 여름(7월 하순)

약성미 | 성질은 따뜻하며 맛은 맵고 독이 약간 있다.

주치활용 | 소화불량, 식체, 위하수, 위내정수, 심복냉동, 구토, 하리, 음부소양증, 해수, 설수, 치통

효능 | 온중, 구충, 산한, 건위, 정장, 지통, 해어성독

민간활용 | 산초 열매의 기름을 짜 두었다가 기침 치료에 한 숟갈씩 떠먹는다.

주의 | 너무 많은 양을 먹으면 실명할 수 있으며 건망증, 혈맥손상 등의 해가 있을 수 있다. 또한 임산부에게도 신중히 써야 한다.

2011 © 살구나무

학명 | Prunus armeniaca

분류 | 쌍떡잎식물 장미목 장미과

원산지 | 중국

분포 | 한국, 일본, 중국, 몽골, 미국, 유럽 등지

형태 | 낙엽소교목

살구나무

서식 과일나무로 널리 심는다.

줄기 나무껍질은 붉은 빛이 돌며 어린 가지는 갈색을 띤 자주색이다.

잎 잎은 어긋나고 넓은 타원 모양 또는 넓은 달걀 모양이며 털이 없고 가장자리에 불규칙한 톱니가 있다.

꽃
- 꽃은 4월에 잎보다 먼저 피고 연한 붉은색이며 지난해 가지에 달리고 꽃자루가 거의 없다.
- 꽃받침조각은 5개이고 뒤로 젖혀지며, 꽃잎은 5개이고 둥근 모양이다.
- 수술은 많으며 암술은 1개이다.

열매
- 열매는 핵과이고 둥글며 털이 많고 7월에 황색 또는 황색을 띤 붉은색으로 익는다.
- 열매에는 비타민A와 천연당류가 풍부하다.
- 말린 열매에서는 철분을 섭취할 수 있다.

이용 날것으로 먹거나 통조림 · 잼 · 건살구 · 넥타 등으로 가공하기도 한다.

약용활용

- 생약명 | 행인(杏仁)
- 이용부위 | 종자
- 채취시기 | 봄(5~6월)
- 약성미 | 성질은 따뜻하고 맛은 쓰다.
- 주치활용 | 진정, 진해제로서 외감 해수, 후비경간, 장조변비
- 효능 | 거담, 진해, 정천, 윤장
- 민간활용 | 민간에서는 개고기를 먹고 체했을 때 종자를 달여 마신다.
- 주의 | 음허해수인 사람은 삼가서 사용할 것

학명 | Cryptomeria japonica

분류 | 겉씨식물 구과목 낙우송과

원산지 | 일본

분포 | 한국(남부 지방), 일본

형태 | 상록교목

삼나무

서식 12~14℃, 강우량 3,000mm 이상 되는 계곡에서 잘 자란다.

줄기 수피는 붉은 빛을 띤 갈색이고 세로로 갈라지며 가지와 잎이 빽빽이 나서 원뿔 모양의 수형이 된다.

꽃
- 꽃은 양성화로 3월에 핀다.
- 수꽃은 작은가지 끝에 모여 달리며 암꽃이삭은 공 모양으로 짧은 가지 끝에 1개씩 달리고 자줏빛을 띤 녹색의 포가 있다.

잎 잎은 굽어진 바늘 모양이고 나선 모양으로 배열하며 말라도 떨어지지 않는다.

열매
- 열매는 구과로서 목질이고 거의 둥글다.
- 열매조각은 두꺼우며 끝에 뾰족한 돌기가 있다.
- 종자는 열매조각 밑부분에 2~6개씩 들어 있고 긴 타원형이며 둘레에 좁은 날개가 있다.

약 용 활 용

생약명 | 삼목근피(杉木根皮)

이용부위 | 줄기, 잎, 열매

채취시기 | 줄기, 가지, 잎－수시, 열매－늦여름

주치활용 | 풍습에 의한 독창, 각기, 심복창통, 요도염, 아토피

효능 | 지통, 산습독, 강역기

주의 | 나무에서 나온 수지는 문종이에 펴서 어깨가 굳어진 곳에 첨용한다.

2011 © 삼지닥나무

학명 | Edgeworthia chrysantha Lindl.

분류 | 쌍떡잎식물 도금양목 팥꽃나무과

분포 | 한국(경남, 경북, 전남, 전북), 중국, 일본

형태 | 낙엽관목

삼지닥나무

줄기 가지는 굵으며 황색을 띤 갈색이고 보통 3개로 갈라진다.

잎
- 잎은 어긋나고 길이 8~15cm의 넓은 바소꼴 또는 바소꼴이다.
- 막질이고 양 끝이 뾰족하며 가장자리가 밋밋하다.
- 잎 양 면에 털이 있고, 앞면은 밝은 녹색이며 뒷면은 흰빛이 돈다.

꽃
- 꽃은 3~4월에 잎보다 먼저 노란색으로 핀다.
- 가시 끝에 둥글게 모여서 달리며 꽃자루가 밑으로 처진다.
- 꽃받침은 통 모양이고 겉에 흰색 잔털이 있고 끝이 4개로 갈라진다.
- 갈라진 조각은 타원 모양이고 안쪽이 노란색이다.
- 8개의 수술이 통부에 2줄로 달리고, 암술은 1개이다.

열매
- 열매는 수과이고 달걀 모양이며 7월에 익는다.
- 종자는 검은색이다.

이용 나무껍질은 종이를 만드는 원료로 사용한다.

약용활용

생약명 | 구피마(構皮麻)

이용부위 | 꽃

채취시기 | 꽃봉오리－봄, 뿌리－연중 수시

약성미 | 성질은 평하고 맛은 담백하며 독이 없다.

주치활용 | 청맹, 각막백반, 예장, 다루, 수명, 몽정, 허림, 실음, 사지마비동통, 타박상

효능 | 풍습

2011 © 상수리나무

학명 | Quercus acutissima

분류 | 쌍떡잎식물 참나무목 참나무과

분포 | 한국, 중국, 일본 등지

형태 | 낙엽교목

상수리나무

서식 산기슭의 양지바른 곳에서 자란다.

줄기 나무껍질은 회색을 띤 갈색이고, 작은 가지에 잔털이 있으나 없어진다.

잎
- 잎은 어긋나고 긴 타원 모양이다.
- 양 끝이 뾰족하고 가장자리에 바늘 모양의 예리한 톱니가 있으며 12~16쌍의 측맥이 있다.
- 잎 표면은 녹색이고 광택이 있다.
- 뒷면은 노란 색을 띤 갈색의 털이 있다.

꽃
- 꽃은 암수 한 그루이고 5월에 핀다.
- 수꽃은 어린 가지 밑부분의 잎겨드랑이에 밑으로 처지는 미상꽃차례를 이루며 달린다.
- 암꽃은 어린 가지 윗부분의 잎겨드랑이에 곧게 서는 미상꽃차례를 이루며 달린다.
- 수꽃은 화피가 5개로 갈라지고 8개의 수술이 있으며, 암꽃은 총포로 싸이며 3개의 암술대가 있다.

열매 열매는 견과이고 둥글며 다음해 10월에 익는다.

이용
- 열매는 먹을 수 있으며 가축의 사료로 이용한다.
- 목재는 땔감 · 숯 · 가구재 · 건축재 등으로 쓰이며, 잎은 누에를 기르는 데 사용한다.

약용활용

생약명 | 상실(橡實)

이용부위 | 껍질

채취시기 | 여름(7~8월)

약성미 | 성질은 따뜻하고 맛은 떫고 쓰다.

주치활용 | 유선염, 설사, 탈항, 냉대하

효능 | 수렴, 지혈

민간활용 | 검정 물감으로 쓰이며 모발을 검게 물들인다.

학명 | Lindera obtusiloba

분류 | 쌍떡잎식물 미나리아재비목 녹나무과

분포 | 한국, 일본, 중국 등지

형태 | 낙엽관목

생강나무

서식 산지의 계곡이나 숲 속의 냇가에서 자란다.

줄기 나무껍질은 회색을 띤 갈색이며 매끄럽다.

잎
- 잎은 어긋나고 달걀 모양 또는 달걀 모양의 원형이다.
- 윗부분이 3~5개로 얕게 갈라지며 3개의 맥이 있고 가장자리가 밋밋하다.

꽃
- 꽃은 암수 딴 그루이고 3월에 잎보다 먼저 핀다.
- 노란색의 작은 꽃들이 여러 개 뭉쳐 꽃대 없이 산형꽃차례를 이루며 달린다.
- 수꽃은 화피조각 6개와 9개의 수술이 있고, 암꽃은 화피조각 6개와 1개의 암술, 그리고 헛수술 9개가 있다.
- 작은꽃자루은 짧고 털이 있다.

열매 열매는 장과이고 둥글며 9월에 검은색으로 익는다.

이용 꽃은 관상용이고, 열매에서는 기름을 짠다.

약용활용

생약명 | 황매목(黃梅木), 삼찬풍

이용부위 | 줄기껍질

채취시기 | 수시

약성미 | 성질은 따뜻하고 맛은 맵다.

주치활용 | 신경통, 복통, 오한, 산후한열, 타박상, 어혈종통

효능 | 활혈, 산어, 소종, 서근, 해열, 거담

민간활용 | 생강나무의 잎과 잔가지를 달여서 기침약 또는 해열제로 사용하였다.

2011 © 생달나무

학명 | Cinnamomum japonicum

분류 | 쌍떡잎식물 미나리아재비목 녹나무과

분포 | 한국, 일본, 중국

형태 | 상록교목

생달나무

서식 산지에서 자란다.

줄기 나무껍질은 검은색이며 작은 가지는 녹색이고 털이 없다.

잎
- 잎은 어긋나고 긴 타원 모양이다.
- 양 끝이 뾰족하고 가장자리가 밋밋하며 3개의 맥이 있다.
- 잎 표면은 광택이 있고, 뒷면은 분처럼 흰색이다.
- 잎자루는 털이 없다.

꽃
- 꽃은 6월에 노란색을 띤 연한 녹색으로 핀다.
- 잎겨드랑이에서 나온 긴 꽃대에 산형꽃차례 모양의 취산꽃차례를 이루며 달린다.
- 화피조각은 3개씩 2줄로 배열한다.
- 수술은 3개씩 4줄로 배열하며 안쪽 1줄에는 꽃밥이 없고, 암술은 1개이다.

열매 열매는 장과이고 타원 모양이며 10~12월에 자주색을 띤 검은색으로 익는다.

이용 목재는 단단하고 치밀하여 가구재로 쓴다.

약 용 활 용

생약명 | 천축계(天竺桂)

이용부위 | 열매

채취시기 | 가을~겨울

약성미 | 성질이 따뜻하고 맛은 맵고 달다

주치활용 | 위의 소화력을 높이고 구토, 이질, 복부냉감, 사지가 저리고 아픈 증세

효능 | 온중, 난위, 평간, 익신, 산한

학명 | Rosa davurica

분류 | 쌍떡잎식물 장미목 장미과

분포 | 한국, 일본, 사할린, 중국 동북부, 시베리아 동부, 아무르 등지

형태 | 낙엽관목

생열귀나무

서식 산지 숲 속이나 골짜기에서 자란다.

줄기 줄기는 적갈색이며 털이 없고 가지가 많이 갈라진다.

잎
- 잎은 어긋나고 5~9개의 작은잎으로 구성된 깃꼴겹잎이다.
- 작은잎은 타원 모양 또는 긴 타원 모양이고 양 끝이 뾰족하다.
- 잎 표면에는 털이 없고 뒷면에는 주맥을 따라 잔털이 있다.
- 가상자리에 산 돕니가 있고 잎자루 밑부분에 턱잎이 변한 흰 쌍의 기시기 있다.

꽃
- 꽃은 5월에 피고 가지 끝에 1~3개씩 달린다.
- 꽃은 장미빛이다.
- 꽃받침조각은 5개이고 바소꼴이며 선점이 있다.
- 꽃잎은 5개이고 넓은 달걀을 거꾸로 세운 모양이며 끝이 오므라진다.

열매 열매는 수과이고 둥글며 꽃받침조각이 남아 있고 6월에 붉은색으로 익는다.

약용활용

생약명 | 자매과(刺莓果)

이용부위 | 열매

채취시기 | 봄(6월)

주치활용 | 소화불량, 복통설사, 생리불순, 임질, 동맥경화증, 노화방지, 면역기능 증가, 간기능보호, 용혈작용, 혈전성 장막염, 양혈, 소종, 방광염, 기침, 설사, 폐결핵, 위장장해

효능 | 소화촉진, 건비, 이기, 양혈, 조경

학명 | Daphne odora

분류 | 쌍떡잎식물 도금양목 팥꽃나무과

원산지 | 중국

형태 | 상록관목

서향나무

서식 줄기는 곧게 서고 가지가 많이 갈라진다.

잎 잎은 어긋나고 타원 모양 또는 타원 모양의 바소꼴이며 양끝이 좁고 가장자리가 밋밋하며 털이 없다.

꽃
- 꽃은 암수 딴 그루이며 3~4월에 피고 지난해에 나온 가지 끝에 두상꽃차례를 이루며 달린다.
- 꽃의 향기가 강하고, 꽃받침은 통 모양으로 생겼으며 끝이 4개로 갈라진다.
- 갈라진 조각은 바깥쪽은 붉은 빛이 강한 자주색이며 안쪽은 흰색이다.
- 수술은 2줄로 꽃받침에 달려 있다.

열매 열매는 장과이고 5~6월에 붉은색으로 익는다.

이용 관상용으로 심는다.

약 용 활 용

생약명 | 서향

이용부위 | 전초

채취시기 | 전초－봄(3~4월), 열매－여름

주치활용 | 인후염, 백일해, 거담, 해록, 타박상, 강심

2011 © 석류나무

학명 | Punica granatum

분류 | 쌍떡잎식물 도금양목 석류나무과

원산지 | 이란, 아프가니스탄, 히말라야

형태 | 낙엽소교목

석류나무

서식 관상용 또는 약용으로 인가 부근에 심는다.

줄기 작은 가지는 횡단면이 사각형이고 털이 없으며 짧은 가지 끝이 가시로 변한다.

잎
- 잎은 마주나고 긴 타원 모양 또는 긴 달걀을 거꾸로 세운 모양이다.
- 양 끝이 좁고 가장자리가 밋밋하며 털이 없고 잎자루가 짧다.

꽃
- 꽃은 양성화이고 5~6월에 붉은색으로 피며 가지 끝에 1~5개씩 달린다.
- 꽃받침은 통 모양이고 6개로 갈라진다. 꽃잎은 6개이고 기왓장처럼 포개진다.
- 수술은 많고 암술은 1개이다.
- 씨방은 꽃받침 속에 묻혀 있으며 2층으로 구성되고, 위층에 5~7실, 아래층에 3실이 있다.

열매
- 열매는 둥글다.
- 끝에 꽃받침조각이 붙어 있고 9~10월에 갈색이 도는 노란색 또는 붉은색으로 익는다.
- 열매의 안쪽은 여러 개의 방으로 나뉘고 각 방에는 소낭이 들어 있는데, 소낭은 즙이 많은 붉은 빛의 과육이 종자를 둘러싼 모양이다.

이용 종자는 먹을 수 있다.

약용활용

생약명 | 석류피(石榴皮)

이용부위 | 열매껍질

채취시기 | 가을

약성미 | 성질은 따뜻하고 맛은 시다.

주치활용 | 설사, 이질, 구리, 혈변, 탈항, 장내 기생충에 의한 복통, 옴

효능 | 살충, 지혈, 구충, 수렴

민간활용 | 민간에서는 부인병, 대하, 인후염에 사용한다.

2011 © 섬백리향

학명 | Thymus quinquecostatus var. japonica

분류 | 쌍떡잎식물 통화식물목 꿀풀과

분포 | 한국(경북)

형태 | 낙엽 소관목

섬백리향

서식 바닷가의 바위가 많은 곳에서 자란다.

잎
- 백리향보다 잎과 꽃이 크며 가지를 많이 내며 땅 위로 뻗는다.
- 어린 나무는 포기 전체에 흰털이 나고 향기가 강하다.
- 잎은 마주나고 달걀꼴의 타원 모양이거나 넓은 달걀 모양이다.
- 가장자리는 밋밋하고 앞 · 뒷면에 선점이 있다.

꽃
- 꽃은 6~7월에 연분홍색으로 핀다.
- 이삭꽃차례로 촘촘하게 달리고 작은꽃자루에는 털이 난다.
- 꽃받침과 화관은 2개의 입술 모양이고 수술은 4개이다.

열매 열매는 분열과로서 9~10월에 검붉게 익는다.

이용 교목하부의 지피용 소재로 이용하면 좋고 도로변이나 공터 또는 사면 등에 식재하여도 좋다.

약 용 활 용

생약명 | 지초(芝草)

이용부위 | 전초

주치활용 | 토역, 복통, 설사, 식소비창, 풍한해수, 인후종, 치통, 신통, 피부소양

효능 | 온중, 산한, 구풍, 지통

학명 | *Pinus densiflora*

분류 | 겉씨식물 구과목 소나무과

분포 | 한국, 중국 북동부, 우수리, 일본

형태 | 상록침엽 교목

소나무

서식 수피는 붉은 빛을 띤 갈색이나 밑부분은 검은 갈색이다.

잎 바늘잎은 2개씩 뭉쳐나고 밑부분의 비늘은 2년이 지나서 떨어진다.

꽃
- 꽃은 5월에 피고 수꽃은 새 가지의 밑부분에 달리며 노란색 타원형이다.
- 암꽃은 새 가지의 끝부분에 달리며 자주색이고 달걀 모양이다.

열매
- 열매는 달걀 모양이며 열매조각은 70~100개이고 다음해 9~10월에 노란 빛을 띤 갈색으로 익는다.
- 종자는 타원형으로 검은 갈색이며 날개는 연한 갈색 바탕에 검은 갈색 줄이 있다.

이용
- 화분은 송아가루로 다식을 만들며 껍질은 송기떡을 만들어 식용한다.
- 건축재 · 펄프용재로 이용되고 테레핀유는 페인트 · 니스용재 · 합성장뇌의 원료로 쓰인다.
- 관상용 · 정자목 · 신목 · 당산목으로 많이 심었다.

약용활용

생약명 | 송엽(松葉), 송지(松指), 송화(松花), 송절(松節)

이용부위 | 씨, 송진, 송향, 송절

채취시기 | 씨–10월, 송진–8월, 송향–여름, 송절–연중

약성미 | 성질은 따뜻하고 맛은 쓰고 달다.

주치활용 | 악창, 류머티스 관절염, 두비, 백독, 개소

효능 | 거풍, 배농, 생기

민간활용 | 임병은 송지를 술에 타서 사용한다.

주의 | 송진을 사용할 시에 햇빛이나 불에 쪼이면 사용하지 못한다. 송진은 위장을 틀어막기 때문에 약용하더라도 송진만 먹으면 안 된다.

2011 © 소철

학명 | Cycas revoluta

분류 | 겉씨식물 소철목 소철과

원산지 | 중국 동남부, 일본 남부지방

분포 | 일본, 중국 남부

형태 | 상록관목

소철

서식 제주에서는 뜰에서 자라지만 기타 지역에서는 온실이나 집안에서 가꾸는 관상수이다.

줄기 원줄기는 잎자루로 덮이고 가지가 없으며 끝에서 많은 잎이 사방으로 젖혀진다.

잎 잎은 1회 깃꼴겹잎이다.

꽃
- 꽃은 단성화이며 노란 빛을 띤 갈색으로 8월에 핀다.
- 수꽃이삭은 원줄기 끝에 달린다.
- 많은 열매조각으로 된 구과형이며 비늘조각 뒤쪽에 꽃밥이 달린다.
- 암꽃은 원줄기 끝에 둥글게 모여 달리며 원줄기 양쪽에 3~5개의 밑씨가 달린다.

이용
- 종자는 길이 4 cm 정도이고 편평하며 식용으로 한다.
- 원줄기에서 녹말을 채취하지만 독성이 있으므로 물에 우려야 한다.

약용활용

생약명 | 철수과(鐵樹果), 봉미초엽(鳳尾草葉), 봉미초화(鳳尾草花)

이용부위 | 종자, 잎, 꽃

채취시기 | 종자—가을(10~11월), 잎—수시, 꽃—필 때

약성미 | 성질은 약간 따뜻하고 맛은 달고 시며 약간의 독이 있다.

주치활용 | 통경, 지사, 중풍, 늑막염, 임질, 간위기통, 월경폐지, 난산, 담다해수, 토혈, 타박, 도상

효능 | 이기, 거풍, 해독, 활혈

민간활용 | 가시가 박혀 빠지지 않을 때 소철 잎을 검게 태워 가루를 낸 후 참기름에 반죽한 뒤 가시 박힌 부분에 붙인다.

학명 | Picrasma quassioides

분류 | 쌍떡잎식물 쥐손이풀목 소태나무과

분포 | 한국, 일본, 타이완 및 중국

형태 | 소교목

소태나무

서식 산지에서 자란다.

줄기 가지에 털이 없고 적갈색 나무껍질에 황색의 피목이 있다.

잎
- 잎은 어긋나고 홀수 1회 깃꼴겹잎이다.
- 작은잎은 달걀 모양 또는 긴 타원형이고 가장자리에 둔한 톱니가 있다.
- 잎은 가을에 황색으로 변하고 나무껍질에 콰시아(quassia)가 들어 있어 매우 쓰다.

꽃
- 꽃은 황록색으로 6월에 피고 2가화이며 산방꽃차례로 달린다.
- 꽃잎과 수술은 4~5개이고, 열매는 핵과로 달걀 모양의 구형이며 녹색이 도는 적색으로 익는다.

약 용 활 용

생약명 | 고목(苦木)

이용부위 | 뿌리

채취시기 | 수시

약성미 | 성질은 차며 맛은 쓰고 약간 독이 있다.

주치활용 | 소화불량, 위염, 식욕부진

2011 © 송악

학명 | Hedera rhombea

분류 | 쌍떡잎식물 산형화목 두릅나무과

분포 | 한국, 일본, 타이완

형태 | 상록 덩굴식물

송악

서식 해안과 도서지방의 숲 속에서 자란다.

줄기 가지와 원줄기에서 기근이 자라면서 다른 물체에 붙어 올라간다.

잎
- 어린 가지, 잎, 꽃차례에 털이 있으나 자라면서 사라진다.
- 잎은 어긋나는데, 어린 가지에 달린 잎은 3~5개로 갈라진다.
- 늙은 나무의 잎은 달걀 모양 또는 사각형이며 윤기가 나는 녹색이다.

꽃
- 꽃은 10~11월에 양성화로 피고 녹색 빛을 띤 노란색이며 산형꽃차례에 많은 꽃이 모여 달린다.
- 꽃받침은 거의 밋밋하고 꽃잎과 수술은 5개씩이며 암술대는 짧다.

열매 열매는 핵과는 둥글고 다음해 봄에 검게 익는다.

이용 잎과 열매가 아름답고 다양한 모양을 만들 수 있어 지피식물로 심는다.

약용활용

생약명 | 상춘등(常春藤)

이용부위 | 줄기, 잎

채취시기 | 가을

약성미 | 성질은 따뜻하고 맛은 달며 독이 없다.

주치활용 | 빈혈, 노쇠, 복내의 제냉에 의한 혈폐

2011 © 쇠물푸레

학명 | Fraxinus sieboldiana

분류 | 쌍떡잎식물 용담목 물푸레나무과

분포 | 한국(중부 이남), 일본

형태 | 낙엽소교목

쇠물푸레

서식 산 중턱 바위 틈이나 계곡에서 자란다.

잎
- 잎은 마주나고 홀수1회 깃꼴겹잎이다.
- 작은잎은 달걀 모양으로 양 끝이 좁으며, 가장자리에는 톱니가 있는 것도 있고 없는 것도 있다.

꽃
- 꽃은 5월에 흰색으로 피는데, 새 가지 끝이나 잎겨드랑이에서 원추꽃차례로 빽빽하게 달린다.
- 화관은 4개로 갈라지고, 수꽃에는 2개의 수술만 있으며 암꽃에는 퇴화한 2개의 수술과 1개의 암술이 있다.

열매 열매는 붉은 빛을 띤 시과로 줄 모양의 거꾸로 선 바소꼴이며 9~10월에 익는다.

이용 재목은 단단하기 때문에 야구방망이를 만든다.

약용활용

생약명 | 진피(秦皮)

이용부위 | 껍질

약성미 | 성질은 차고 맛은 쓰다.

주치활용 | 세균성이질, 장염, 백대하, 만성기관지염, 눈물분비과다증, 어린선, 눈의 충혈

효능 | 청열, 거담, 평천, 지해, 명목

2011 © 수국

학명 | Hydrangea macrophylla for. otaksa

분류 | 쌍떡잎식물 장미목 범의귀과

원산지 | 일본

형태 | 낙엽관목

수국

잎 잎은 마주나고 달걀 모양인데, 두껍고 가장자리에는 톱니가 있다.

꽃
- 꽃은 중성화로 6~7월에 피며 산방꽃차례로 달린다.
- 꽃받침조각은 꽃잎처럼 생겼고 4~5개이며, 처음에는 연한 자주색이던 것이 하늘색으로 되었다가 다시 연한 홍색이 된다.
- 꽃잎은 작으며 4~5개이고, 수술은 10개 정도이며 암술은 퇴화하고 암술대는 3~4개이다.

이용 관상용으로 많이 심는다.

약용활용

생약명 | 팔선화(八仙花)

이용부위 | 전초

채취시기 | 여름(6~7월)

약성미 | 성질은 차며 맛은 쓰고 약간 매우며 독이 조금 있다.

주치활용 | 말라리아, 심열경계, 번조, 심장병

효능 | 해열제, 항말라리아, 강심

학명 | Vitex rotundifolia

분류 | 쌍떡잎식물 통화식물목 마편초과

분포 | 한국, 일본, 동남아시아, 태평양 연안, 오스트레일리아

형태 | 낙엽관목

순비기나무

서식 바닷가 모래땅에서 옆으로 자라면서 뿌리가 내린다.

줄기 전체에 회색 빛을 띤 흰색의 잔털이 있고 가지는 네모진다.

꽃
- 꽃은 7~9월에 피고 자줏빛 입술 모양 꽃이 원추꽃차례에 달린다.
- 꽃받침은 술잔처럼 생기고 털이 빽빽이 난다.
- 화관은 4개의 수술 중 2개가 길며 꽃밥은 자줏빛이다.
- 암술은 1개이고 암술대는 2개로 갈라진다.

잎
- 잎은 마주달리고 타원형 또는 달걀을 거꾸로 세운 듯한 모양이며 가장자리가 밋밋하고 가지와 더불어 은빛을 띤 흰색이 돈다.
- 잎 뒷면에는 잔털이 빽빽이 난다.

열매 열매는 핵과로 딱딱하고 둥글며 9~10월에 검은 자주색으로 익는다.

이용 밀원식물로 이용한다.

약용활용

생약명 | 만형자(蔓荊子)

이용부위 | 종자

채취시기 | 가을(9~10월)

약성미 | 성질은 약간 차고 맛은 맵고 쓰며 독이 없다.

주치활용 | 감모풍열, 정편두통, 치은종통, 목적다루, 목암불명, 두훈목현, 습비구련

효능 | 소산, 풍열, 청리, 두목

민간활용 | 감기, 소염, 두통에 만형자를 전제로 하여 복용한다.

주의 | 혈허유화로 인한 두통, 현기증과 비위가 허한한 자는 복용을 피한다.

2011 © 쉬나무

속명 | 쇠동백나무, 소동나무, 수유나무

학명 | Evodia daniellii

분류 | 쌍떡잎식물 쥐손이풀목 운향과

분포 | 한국(전남, 전북, 경기, 황해도), 중국

형태 | 낙엽교목

쉬나무

서식 낮은 산지에서 자란다.

줄기
- 작은 가지는 회색 빛을 띤 갈색이며 잔털이 있다.
- 2년생 가지는 붉은 빛을 띤 갈색이며 피목이 특히 발달하고 겨울눈은 2개의 눈비늘로 싸인다.

잎
- 잎은 마주 달리고 깃꼴겹잎이다.
- 작은잎은 7~11개로 타원형 또는 달걀 모양이다.
- 표면은 짙은 녹색, 뒷면은 회색 빛을 띤 녹색이고 가장자리에 선점과 더불어 잔 톱니가 있다.
- 끝이 날카롭고 뒷면에 털이 다소 있다.

꽃
- 꽃은 8월에 피고 흰빛이 돌며 산방상 원추꽃차례에 달린다.
- 꽃이삭에 털이 빽빽이 난다.

열매
- 열매는 삭과로 10월에 붉은색으로 익는데, 둥글며 끝이 뾰족하다.
- 종자는 검고 타원형이다.

이용 관상 가치가 있으며 밀원식물로도 좋고 목재는 기구재나 건축재로 사용한다.

약용활용

생약명 | 오수유(吳茱萸)

이용부위 | 껍질

채취시기 | 가을

약성미 | 성질은 따뜻하고 맛은 맵고 쓰며 약간의 독이 있다.

주치활용 | 변비, 이질, 복통, 구토

효능 | 고신, 온열, 한신성건위, 이뇨, 해독

학명 | Sorbaria sorbifolia var. stellipila Max.

분류 | 쌍떡잎식물 장미목 장미과

형태 | 낙엽 활엽 관목

쉬땅나무

서식 산기슭 및 산골짜기의 습지에 난다.

줄기 많은 줄기가 한군데서 모여나며, 성모가 있다.

잎 잎은 깃꼴겹잎으로 나며 작은잎은 10쌍 안쪽이고 바소꼴이며 끝은 날카롭고 톱니가 있으며 잎의 뒷면에 별 모양의 털이 난다.

잎
- 꽃은 6월에 복총상꽃차례로 마주 피며 흰색이다.
- 꽃은 흰색이며 꽃받침조각과 꽃잎은 각각 5개이다.
- 수술은 40~50개로 꽃잎보다 길다.
- 씨방은 5개이고 이생한다.

열매 열매는 골돌과로 긴 타원형이며 9월에 익는다.

이용 새 순은 식용하고 꽃은 구충에 약으로 쓰인다.

약용활용

생약명 | 진주매(珍珠梅)

이용부위 | 줄기껍질

채취시기 | 봄~가을(6~10월)

약성미 | 성질은 따뜻하며 맛은 맵고 쓰고 시다.

주치활용 | 골절, 타박상

효능 | 활혈, 지통, 소종, 거어

2011 © 시로미

학명 | Empetrum nigrum var. japonicum

분류 | 쌍떡잎식물 무환자나무목 시로미과

분포 | 한국(한라산, 백두산, 장백산), 일본, 북반구의 한대와 아한대

형태 | 상록관목

시로미

서식 높은 산 정상에서 자란다.

줄기 줄기는 옆으로 벋지만 가지는 곧게 선다.

잎
- 잎은 뭉쳐나고 줄 모양이다.
- 두껍고 윤이 나며 뒤로 젖혀져서 사방으로 퍼지고 가장자리가 뒤로 말린다.
- 흰 잔털이 나나 곧 없어진다.

꽃
- 꽃은 암수 한 그루이거나 암수 딴 그루이며 6~7월에 자줏빛으로 피는데, 양성화 또는 잡성화이고 잎겨드랑이에 달린다.
- 꽃받침조각 · 꽃잎 · 수술은 3개씩이며 수술대는 가늘고 길다.
- 꽃밥은 붉은 빛이다.

열매 열매는 장과로서 둥글며 8~9월에 자줏빛을 띤 검은색으로 익는다.

이용 관상용으로 쓰며 열매를 식용한다.

생약명 | 암고자(岩高子)

이용부위 | 열매

채취시기 | 여름, 가을

약성미 | 성질은 따뜻하고 맛은 달고 시다.

주치활용 | 갈증, 당뇨병, 방광염, 신장염, 신체허약, 소화불량, 식욕부진

효능 | 강장, 지갈, 량혈

학명 | Aucuba japonica

분류 | 쌍떡잎식물 산형화목 층층나무과

분포 | 한국(울릉도와 외연도 이남), 일본, 타이완, 중국, 인도 등지

형태 | 상록관목

식나무

서식 바닷가 그늘진 곳에서 자란다.

줄기 새가지는 녹색이며 굵고 잎과 더불어 털이 없다.

잎
- 잎은 마주나고 긴 타원형이거나 바소꼴이다.
- 두껍고 가장자리에 이 모양의 굵은 톱니가 있으며 윤기가 있다.

꽃
- 꽃은 암수 딴 그루로서 3~4월에 자줏빛을 띤 갈색으로 피고 줄기 끝에 원추꽃차례로 달린다.
- 수술 4개, 암술 1개이다.
- 꽃잎은 달걀 모양이며 씨방은 타원 모양이며 털이 난다.

열매
- 열매는 핵과로서 타원형이다.
- 10월에 빨간색으로 익으며 겨울내내 나무에 달린다.

이용 병충해와 연기에 강하므로 관상용으로 심으며, 목재는 기구재로 쓰고 잎은 사료를 만드는 데 쓴다.

약용활용

생약명 | 청목(青木)

이용부위 | 잎

주치활용 | 찰과상, 동상, 화상, 치질, 습진, 종기, 동계

민간활용 | 민간에서는 나무껍질과 잎을 뱀 독이나 종기, 화상 등에 약으로 쓰기도 한다.

2011 © 신갈나무

학명 | Quercus mongolica

분류 | 쌍떡잎식물 참나무목 참나무과

분포 | 한국, 일본, 중국, 시베리아 동부

형태 | 낙엽교목

신갈나무

서식 산지에서 자라고 높은 산에서는 순림을 만든다.

줄기
· 나무껍질은 검은빛을 띤 갈색이며 세로로 갈라지고 겨울눈은 달걀 모양이다.
· 전체적으로 털이 없으나 잡종성은 털이 난다.

잎
· 잎은 어긋나고 가지 끝에 모여 달리며 달걀을 거꾸로 세워 놓은 모양이거나 긴 타원형이다.
· 톱니와 더불어 끝이 둥글며 잎자루는 털이 없고 매우 짧다.

꽃
· 꽃은 4~5월에 노란 빛을 띤 녹색으로 핀다.
· 수꽃이삭은 새 가지 밑동의 잎겨드랑이에서 밑으로 처지고 암꽃이삭은 윗부분에서 곧추 자란다.
· 수꽃은 1~17개의 수술과 3~12개의 화피갈래조각이 있다.
· 암꽃은 1개 또는 여러 개가 이삭 모양으로 달리고 6개의 화피갈래조각과 1~5개의 암술머리가 있다.

열매 열매는 견과로서 9월에 익는다.

이용 열매를 식용하고 목재는 건축재 · 기구재 · 콜크재 등으로 쓴다.

약용활용

생약명 | 작수엽(柞樹葉)

이용부위 | 잎

채취시기 | 봄, 가을

주치활용 | 세균성이질, 소아의 소화불량, 옹창, 치창

효능 | 이습, 청열, 해독

민간활용 | 민간에서는 나무껍질과 종자를 하혈 · 주름살 등에 약으로 쓰기도 한다.

2011 © 신나무

학명 | Acer ginnala

분류 | 쌍떡잎식물 무환자나무목 단풍나무과

분포 | 한국, 일본, 중국

형태 | 낙엽소교목

신나무

서식 산과 들에서 자란다.

줄기 나무껍질은 검은 빛을 띤 갈색이며 전체에 털이 없다.

잎
· 잎은 마주나고 세모진 타원형이거나 달걀 모양이며 밑부분이 흔히 3개로 갈라진다.
· 가장자리에 깊이 패어 들어간 흔적과 겹톱니가 있다.
· 겉면은 윤이 나고 끝이 길게 뾰족하며 붉다.

꽃
· 꽃은 5~7월에 노란 빛을 띤 흰색으로 피고 복산방꽃차례에 달리며 향기가 난다.
· 양성화와 단성화가 있고 꽃받침조각은 긴 달걀 모양이고 꽃잎은 타원 모양이며 각각 5개씩이다.
· 수술은 8~9개, 암술은 1개이며 흰 털이 빽빽이 난다.

열매
· 열매는 시과로서 양쪽 날개가 거의 평행하거나 겹쳐지며 9~10월에 익는다.
· 번식은 종자로 한다.

이용 관상용으로 심으며 목재는 기구재 · 정원수로 관상 가치가 있다.

약 용 활 용

생약명 | 차조아(茶條芽)

이용부위 | 새싹, 잎

약성미 | 성질은 평하고 맛은 맵고 쓰며 독이 없다.

주치활용 | 관절염, 신경통, 두드러기, 가려움증, 치통

민간활용 | 민간에서는 나무껍질을 안질 약으로 쓴다.

2011 © 싸리

학명 | Lespedeza bicolor

분류 | 쌍떡잎식물 장미목 콩과

분포 | 한국, 일본, 중국, 우수리강

형태 | 낙엽관목

싸리

서식 산과 들에서 흔히 자란다.

줄기 줄기는 곧게 서고 가지가 많이 갈라진다.

잎
· 잎은 어긋나고 3장의 작은잎이 나온 잎이다.
· 턱잎은 가늘고 길며 짙은 갈색이다.
· 작은잎은 달걀 모양이거나 달걀을 거꾸로 세워 놓은 모양이다.
· 겉번은 짙은 녹색이며 뒷면에 눈털이 나고 가장자리가 밋밋하다.

꽃
· 꽃은 7~8월에 붉은 자줏빛으로 핀다.
· 잎겨드랑이에 총상꽃차례로 달린다.
· 꽃받침은 얕게 4개로 갈라지고 뒤쪽의 1개는 다시 2개로 갈라지며 끝이 뾰족하다.
· 꼬투리는 넓은 타원형이고 끝이 부리처럼 길며 1개의 종자가 들어 있고 10월에 익는다.

열매 종자는 신장 모양이며 갈색 바탕에 짙은 점이 있다.

이용 밀원식물이며 겨울에는 땔감, 잎은 사료, 줄기에서 벗긴 껍질은 섬유자원, 줄기는 농촌에서 여러 가지 세공을 하는 데 쓰고 비도 만든다.

약용활용

생약명 | 호지자(胡枝子)

이용부위 | 줄기

채취시기 | 여름~가을

약성미 | 성질은 평하며 맛은 달며 독이 없다.

주치활용 | 기침, 백일해, 임질, 복막염, 만성늑막염, 오줌이 잘 나오지 않는 증

효능 | 해열, 이뇨, 소염

민간활용 | 나무 전체를 악혈(惡血)·부종 등에 약으로 쓴다.

2011 © 아까시나무

학명 | Acacia

분류 | 쌍떡잎식물 장미목 콩과

분포 | 오스트레일리아를 중심으로 열대와 온대 지역

형태 | 낙엽교목

아까시나무

줄기 나무껍질은 노란 빛을 띤 갈색이고 세로로 갈라지며 턱잎이 변한 가시가 있다.

잎
- 잎은 짝수2회 깃꼴겹잎이고 작은잎이 매우 작으며, 잎자루가 편평하여 잎처럼 된 것도 있다.
- 턱잎은 가시 모양이다.

꽃
- 꽃은 황색 또는 흰색이고 두상꽃차례 또는 원기둥 모양의 수상꽃차례를 이루며 달리고 양성화 또는 잡성화이다.
- 꽃잎은 5개이고, 수술은 10개이며, 암술은 1개이다.

열매 열매는 편평하고 잘록잘록하거나 원통 모양이다.

이용
- 대표적인 밀원식물, 목재는 차량재, 상판, 목공예 재료, 잎은 사료용으로 쓴다.
- 도로변 절개지나 황폐지에 식재하여 좋은 효과를 기대할 수 있으며, 독립수나 녹음수로도 이용 가능하나 정원용으로는 부적합하다.

약 용 활 용

생약명 | 자괴화(刺槐花)

이용부위 | 꽃

채취시기 | 봄(5~6월)

약성미 | 성질은 평하고 맛은 달다.

주치활용 | 콩팥질병, 방광염, 신석증, 신장염, 변비

효능 | 이뇨, 지혈

민간활용 | 꽃을 그대로 먹으면 변비가 없어진다.

학명 | Viburnum awabuki

분류 | 쌍떡잎식물 꼭두서니목 인동과

분포 | 한국(제주), 일본, 타이완, 중국, 인도

형태 | 상록 소교목

아왜나무

서식 바닷가 산기슭에서 자란다.

줄기 어린 가지는 붉은 빛을 띠며 털이 없다.

잎
- 잎은 마주 달리고 긴 타원형이다.
- 양 끝이 뾰족하고 두껍고 윤이 나며 양면에 털이 없다.
- 겉면은 윤이 나는 녹색, 뒷면은 연한 녹색이다.
- 가상자리에 물결 모양의 톱니가 없거나 있다.

꽃
- 꽃은 6월에 흰색이나 분홍색으로 피며 줄기 끝에 원추꽃차례로 달린다.
- 꽃받침은 털이 없고 끝이 5갈래로 갈라진다.
- 화관은 짧은 톱같이 생기고 끝이 5개로 갈라지며 갈라진 조각은 달걀 모양이거나 타원형이다.
- 5개의 수술과 1개의 암술이 있다.

열매
- 열매는 타원형의 핵과로서 9~10월에 붉은색에서 검은 빛으로 익는다.
- 번식은 종자나 꺾꽂이로 한다.

이용 주로 정원수로 심으며, 불에 잘 타지 않고 잎에 윤기가 있기 때문에 방화용수나 생울타리용으로 이용한다.

약 용 활 용

생약명 | 산호수(珊瑚樹), 산저육(山猪肉)

이용부위 | 잎, 껍질

주치활용 | 타박상, 골절상

효능 | 청열거습(清熱祛濕), 통경활락(通經活絡), 발독생기(拔毒生肌)

2011 © 앵도나무

속명 | 앵두나무

학명 | Prunus tomentosa

분류 | 쌍떡잎식물 장미목 장미과

원산지 | 중국

형태 | 낙엽관목

앵도나무

서식 과수로 뜰에 심거나 인가 주변의 산지에서 자란다.

줄기 가지가 많이 갈라지며, 나무 껍질이 검은 빛을 띤 갈색이고, 어린 가지에 털이 빽빽이 있다.

잎
- 잎은 어긋나고 달걀을 거꾸로 세운 모양 또는 타원 모양이다.
- 끝이 뾰족하고 밑 부분이 둥글며 가장자리에 톱니가 있다.
- 잎 표면에 잔털이 있고 뒷면에 털이 빽빽이 있으며, 잎자루는 털이 있다.

꽃
- 꽃은 4월에 잎보다 먼저 또는 같이 피고 흰빛 또는 연한 붉은 빛이며 1~2개씩 달린다.
- 꽃받침은 원통 모양이고 5개로 갈라지며, 갈라진 조각은 타원 모양이고 잔톱니와 털이 있다.
- 꽃잎은 5개이고 넓은 달걀을 거꾸로 세운 모양이며 끝이 둥글다.
- 수술은 많고, 암술은 꽃잎보다 짧으며, 씨방에 털이 빽빽이 있다.

열매
- 열매는 핵과이고 둥글며 6월에 붉은 빛으로 익는다.
- 성숙한 열매는 날것으로 먹을 수 있을 뿐만 아니라 관상용으로도 가치가 있다.

약 용 활 용

생약명 | 산앵도(山櫻桃)

이용부위 | 열매

채취시기 | 여름(6월)

약성미 | 성질은 평하고 맛은 맵고 쓰고 달며 독이 없다.

주치활용 | 대장기체, 조삽불통, 소변불리, 대복수종, 사지부종, 각기

효능 | 윤조골장, 하기, 이수

주의 | 음허진액휴손자와 잉부는 신중히 사용하고, 대변부실자는 복용을 금한다.

2011 ⓒ 야광나무

속명 | 동배나무, 아가위나무

학명 | Malus baccata Borkh.

분류 | 쌍떡잎식물 장미목 장미과

분포 | 한국 특산종으로 울릉도 바닷가에 분포

형태 | 낙엽활엽 소교목

야광나무

서식 산지에서 자란다.

줄기 나무껍질은 다소 잿빛이며 어린 가지에 털이 있다.

잎
- 잎은 어긋나고 달걀 모양·타원형 또는 달걀을 거꾸로 세운 모양이다.
- 양 끝이 좁고 가장자리가 밋밋하다.
- 잎자루는 턱잎이 있다.

꽃
- 꽃은 5~6월에 피고 산방상 원추꽃차례에 달리며 백색이다.
- 포와 작은포는 검은 자줏빛이며 꽃받침은 작은포로 둘러싸인다.
- 암술대는 2개이다.

열매 열매는 수과이며 달걀 모양으로 적자색으로 익는다.

약용활용

생약명 | 임금

이용부위 | 열매

채취시기 | 가을(9월)

주치활용 | 전염성 질병, 위장질병, 결핵

효능 | 구토, 구충, 선혈, 곽란, 종두, 하리, 소갈, 이질

2011 © 영산홍

학명 | Rhododendron indicum

분류 | 쌍떡잎식물 합판화군 진달래목 진달래과

원산지 | 일본

분포 | 한국, 일본

형태 | 상록관목

영산홍

줄기 줄기에 붙은 가지는 잘 갈라져 잔 가지가 많고 갈색 털이 있다.

잎
- 잎은 어긋나지만 가지 끝에서는 모여 달리고 좁은 바소꼴이다.
- 잎이 약간 두껍고 광택이 있으며 가장자리가 밋밋하며 뒷면 맥상과 표면에는 갈색 털이 있다.

꽃
- 꽃은 4~5월에 가지 끝에 홍자색으로 핀다.
- 꽃의 밑부분에는 일찍 떨어지는 넓은 비늘조각이 있다.
- 꽃받침은 둥근 달걀 모양으로 짧은 갈래조각이 5개로 갈라진다.
- 화관은 넓은 깔때기 모양으로 털이 없으며 5개로 갈라지는데 안면의 위쪽에 짙은 홍자색 반점이 있다.
- 수술은 5개이고 수술대의 밑쪽 반부분에 알맹이 모양의 돌기가 나 있으며 꽃밥은 자주색을 띤다.
- 암술은 1개로 암술대에 털이 없다.

열매 열매는 삭과이고 9~10월에 익으며 달걀 모양으로 거친 털이 있다.

약 용 활 용

생약명 | 영산홍(迎山紅), 산척촉(山躑躅)

주치활용 | 감기, 기관지염, 두통

효능 | 해독, 청폐, 지해, 이뇨

2011 © 영춘화

학명 | Jasminum nudiflorum

분류 | 쌍떡잎식물 합판화군 용담목 물푸레나무과

원산지 | 중국

형태 | 낙엽관목

영춘화

서식 중부 이남에서는 관상용으로 심는다.

가지 가지가 많이 갈라져서 옆으로 퍼지고 땅에 닿은 곳에서 뿌리가 내리며 능선이 있고 녹색이다.

잎 잎은 마주나고 3~5개의 작은잎으로 된 깃꼴겹잎이며 작은잎은 가장자리가 밋밋하다.

꽃
- 꽃은 이른 봄 잎보다 먼저 피고 노란색이며 각 마디에 마주달린다.
- 꽃받침조각과 꽃잎은 6개이며 향기가 없고 수술은 2개이다.

약용활용

생약명 | 영춘화(迎春花)

이용부위 | 꽃

채취시기 | 꽃—봄(4~5월), 잎—봄~여름(5~7월)

약성미 | 성질은 평하고 맛은 쓰고 달고 떫다.

주치활용 | 발열, 두통, 소변열통, 타박상, 창상출혈

효능 | 해열, 이뇨

민간활용 | 열매는 결막염에 약으로 쓴다.

학명 | Mallotus japonicus

분류 | 쌍떡잎식물 이판화군 쥐손이풀 대극과

분포 | 한국, 일본, 중국

형태 | 낙엽 소교목

예덕나무

서식 주로 바닷가에서 자란다.

줄기 어릴 때는 비늘털로 덮여서 붉은 빛이 돌다가 회백색으로 변하고 가지가 굵다.

잎
- 잎은 어긋나고 달걀 모양의 원형이며 표면에는 대개 붉은 빛 선모가 있고 뒷면은 황갈색으로 선점이 있다.
- 잎 가장자리는 밋밋하거나 3개로 약간 갈라지고 잎자루가 길다.

꽃
- 꽃은 단성화이며 6월에 피고 원추꽃차례를 이룬다.
- 수꽃은 모여 달리고 50~80개의 수술과 3~4개로 갈라진 연한 노란색의 꽃받침이 있다.
- 암꽃은 각 포에 1개씩 달리고 수가 적다.

열매 열매는 삭과로 세모꼴의 공 모양이며 10월에 익으며, 3개로 갈라진 다음 다시 2개로 갈라진다.

이용 나무껍질에 타닌과 쓴 물질이 들어 있어 건위제로 이용하고, 민간에서는 잎을 치질과 종처에 바른다.

생약명 | 야오동(野梧桐)

이용부위 | 껍질

채취시기 | 봄, 가을

약성미 | 성질은 평하고 맛은 쓰고 삽하다.

주치활용 | 위 · 십이지장궤양, 위염, 소장염, 대장염, 담석증, 식용증진

효능 | 건위

주의 | 변비는 금물이므로 결명자와 같은 완하제를 병용한다.

2011 © 오갈피나무

학명 | Acanthopanax sessiliflorus

분류 | 쌍떡잎식물 이판화군 산형화목 두릅나무과

분포 | 한국, 중국, 우수리, 아무르

형태 | 낙엽관목

오갈피나무

서식 산지의 그늘진 곳에서 자란다.

줄기
- 갈고리 모양의 가시가 있다.
- 뿌리 근처에서 가지가 많이 갈라져서 총생하고 털이 없으며 가시도 드물다.

잎
- 잎은 어긋나고 손바닥 모양의 겹잎이다.
- 작은잎은 3~5개로서 달걀을 거꾸로 세운 모양의 타원형이고 가장자리에 겹톱니가 있다.
- 뒷면 주맥 위에 잔털이 있고 가시는 거의 없다.
- 표면은 진한 초록색이고 뒷면은 연한 초록색이다.

꽃
- 꽃은 8~9월에 피고 자줏빛이며 작은꽃줄기가 짧고 꽃이 산형꽃차례에 밀생한다.
- 꽃잎은 5개, 암술대는 끝까지 합쳐진다.

열매 열매는 핵과로 다소 편평한 타원형이며 10월에 검게 익는다.

이용 방향성 식물이다.

약용활용

생약명 | 오가피(五加皮)

이용부위 | 뿌리껍질

채취시기 | 여름~가을

약성미 | 성질은 따뜻하고 맛은 맵고 쓰며 독이 없다.

주치활용 | 치풍습비통, 사지구련, 요슬연약, 소아행지, 수종, 각기

효능 | 거풍습, 보간신, 강근골

주의 | 음허화왕자는 복용을 금한다.

2011 © 오동나무

학명 | Paulownia coreana

분류 | 쌍떡잎식물 합판화군 통화식물목 현삼과

분포 | 한국의 평남, 경기 이남

형태 | 낙엽교목

오동나무

서식 촌락 근처에 심는다.

잎

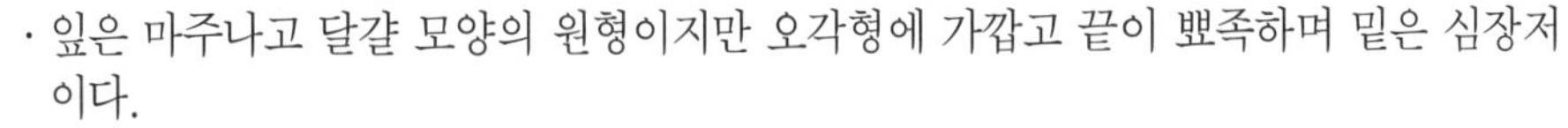

- 잎은 마주나고 달걀 모양의 원형이지만 오각형에 가깝고 끝이 뾰족하며 밑은 심장저이다.
- 표면에 털이 거의 없다.
- 뒷면에 갈색 성모가 있으며 가장자리에 톱니가 없다.
- 어린 잎에는 톱니가 있고 잎자루는 잔털이 있다.

꽃

- 꽃은 5~6월에 피고 가지 끝의 원추꽃차례에 달리며 꽃받침은 5개로 갈라진다.
- 갈래조각은 달걀 모양으로 길며 끝이 뾰족하고 서기도 하고 퍼지기도 하며 양 면에 잔털이 있다.
- 화관은 자주색이지만 후부는 노란색이고 내외부에 성모(星毛)와 선모(腺毛)가 있다.
- 4개의 수술 중 2개는 길고 털이 없으며 씨방은 달걀 모양으로 털이 있다.

열매 열매는 삭과로 달걀 모양이고 끝이 뾰족하며 털이 없고 10월에 익는다.

이용 가야금, 거문고, 장롱, 문갑재, 병풍틀, 나막신, 관 등을 제작한다.

약 용 활 용

생약명 | 동피(桐皮)

이용부위 | 잎

약성미 | 성질은 차며 맛은 쓰고 독이 없다.

주치활용 | 옹저, 창상출혈, 종기, 악창, 타박상

효능 | 살충, 구충

민간활용 | 음부의 악식창에 주로 쓰인다.

2011 © 오리나무

학명 | *Alnus japonica*

분류 | 쌍떡잎식물 너도밤나무목 자작나무과

분포 | 한국, 일본, 중국

형태 | 낙엽교목

오리나무

서식 습지 근처에서 자란다.

줄기 나무껍질은 자갈색이며 겨울눈은 달걀을 거꾸로 세운 모양의 긴 타원형으로 3개의 능선이 있으며 자루가 있다.

잎 잎은 어긋나고 타원형·바소꼴의 달걀 모양 또는 바소꼴이며 양 면에 광택이 있고 가장자리에 톱니가 있다.

꽃
- 꽃은 3~4월에 피고 단성이며 미상꽃차례에 달린다.
- 수꽃은 수꽃이삭에 달리며 각 포에 3~4개씩 들어 있고 화피갈래조각과 수술은 4개씩이다.
- 과수는 10월에 성숙되며 2~6개씩 달리고 긴 달걀 모양이며 솔방울같이 보인다.

이용
- 나무를 삶은 물은 붉은색, 열매는 논의 개흙과 함께 쓰면 검은색, 수피를 우린 물은 다갈색으로 염색이 된다.
- 질소고정식물이기에 비료용이나 사방공사용으로 이용한다.
- 재질이 치밀하고 단단해서 하회탈이나 팔만대장경을 만드는 데 사용했다.
- 수피는 지혈과 간염에 사용한다.

약용활용

생약명 | 유리목(楡里木)

이용부위 | 가지, 열매, 껍질

채취시기 | 가지·새순—봄, 열매—가을, 껍질—봄~여름

약성미 | 성질은 서늘하고 맛은 쓰고 떫다.

주치활용 | 간염, 간경화, 지방간 등 갖가지 간질환을 치료

효능 | 청열, 강화, 주체, 설사

민간활용 | 주체에 오리나무 잎, 가지를 달여서 마신다.

2011 © 오미자

학명 | Schizandra chinensis

분류 | 쌍떡잎식물 이판화군 미나리아재비목 목련과

분포 | 한국, 일본, 중국, 우수리, 아무르

형태 | 낙엽 덩굴식물

오미자

서식 산골짜기에서 자란다.

줄기 줄기는 갈색이고 나무를 기어 오르는 성질이 있다.

잎 잎은 어긋나고 넓은 타원형 · 긴 타원형 또는 달걀 모양이며 뒷면 잎맥 위에는 털이 있고 가장자리에 치아 모양의 톱니가 있다.

꽃
- 꽃은 6~7월에 피고 단성화이며 약간 붉은 빛이 도는 황백색이다.
- 꽃이 핀 다음 암꽃의 꽃턱은 자라서 열매가 수상으로 달린다.

열매
- 열매는 장과로 거의 둥글고 이삭 모양으로 여러 개가 달린다.
- 8~9월에 홍색으로 익으며 1~2개의 홍갈색 종자가 들어 있다.

이용 어린 순은 나물로 먹는다.

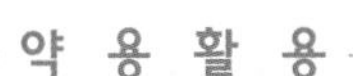

생약명 | 오미자(五味子)

이용부위 | 열매

채취시기 | 가을

약성미 | 성질은 따뜻하고 맛은 시고 달며 독이 없다.

주치활용 | 해수, 유정, 구갈, 도한, 급성간염

효능 | 자양, 강장, 진해, 거담, 지한

민간활용 | 민간에서는 오미자차를 만들어 마시며 술도 담근다.

주의 | 외유표사자, 내유실숙자 및 해소초기자, 사진초발자는 복용을 금한다.

2011 © 옻나무

학명 | *Rhus verniciflua*

분류 | 쌍떡잎식물 이판화군 무환자나무목 옻나무과

원산지 | 중국

형태 | 낙엽교목

옻나무

잎
- 잎은 어긋나고 9~11개의 작은잎으로 된 깃꼴겹잎이다.
- 작은잎은 달걀 모양 또는 타원형의 달걀 모양이고 가장자리가 밋밋하며 표면에 털이 약간 있으나 뒷면에는 많다.

꽃
- 꽃은 단성화로 녹황색이며 5월에 원추꽃차례를 이룬다.
- 수꽃은 5개씩의 꽃받침조각 · 꽃잎 및 수술이 있고 암꽃에는 5개의 작은 수술과 1개의 암술이 있다.

열매 열매는 핵과로 편원형이며 연한 노란색이고 털이 없으며 10월에 익는다.

이용
- 옻나무는 정식한 후 4년째부터 10년째까지 수액인 옻을 채취한다.
- 종자에는 왁스가 많이 들어 있어서 이것을 채취하여 목랍을 만들고, 목재는 가볍고 무늬가 고와서 가구재나 부목을 만들고 연료로도 쓰인다.

약 용 활 용

생약명 | 건칠(乾漆)

이용부위 | 수지, 잎, 껍질

채취시기 | 수지—봄(4~5월). 잎—여름. 껍질—수시.

약성미 | 성질은 따뜻하고 맛은 맵고 독이 있다.

주치활용 | 부녀의 월경폐지, 징하, 어혈, 기생충에 의한 복부 경결

효능 | 파어, 소적, 살충

민간활용 | 소금을 물에 축여서 발진부에 바르면 가려움증이 사라지고 치유된다.

주의 | 임부, 신체허약자, 무울혈자는 주의하여 복용한다. 체질에 맞지 않는 자는 복용을 금한다.

속명 | 산포도

학명 | Vitis amurensis

분류 | 쌍떡잎식물 이판화군 갈매나무속 포도과

분포 | 한국, 일본, 사할린

형태 | 낙엽 덩굴식물

왕머루

서식 산지에서 자란다.

줄기 작은 가지는 붉은 빛이 돌고 처음에는 솜털이 있다.

잎 잎은 어긋나며 달걀 모양으로 끝이 뾰족하고 5개로 얕게 갈라진다.

꽃
- 6월 경에 원추꽃이삭이 잎과 마주 달리며 황록색의 작은 꽃이 많이 핀다.
- 꽃이삭 아래쪽에서 덩굴손이 자란다.
- 꽃잎은 5개로 앞쪽의 끝이 서로 합착하였고 밑부분이 갈라져 있으며 수술은 5개이다.

열매 열매는 장과로 9월 경에 흑자색으로 익으며 2~3개의 종자가 들어 있다.

이용
- 과실로 식용하거나 술을 만든다.
- 지팡이를 제작한다.

생약명 | 산등등앙(山藤藤秧)

이용부위 | 뿌리, 줄기, 열매

채취시기 | 가을

주치활용 | 외상통, 위장동통, 신경성두통

효능 | 지통

민간활용 | 피로회복에 산포국 및 산포국주를 복용한다. 민간요법에는 머루를 강장제 및 보혈제로 먹으며 음위에도 쓰인다고 한다.

2011 © 왕벚나무

학명 | Prunus yedoensis

분류 | 쌍떡잎식물 이판화군 장미목 장미과

분포 | 한국(한라산과 대둔산)

형태 | 낙엽교목

왕벚나무

잎
· 잎은 어긋나고 타원형의 달걀 모양 또는 거꾸로 선 달걀 모양이다.
· 뒷면에 털이 있다.
· 가장자리에 예리한 톱니가 있고 잎자루 끝에 2개의 꿀샘이 있다.

꽃
· 꽃은 4월에 잎보다 먼저 피고 3~6개가 산형차례로 달리고, 작은꽃자루에 털이 있다.
· 꽃봉오리는 분홍색이 돌고 활짝 피면 흰색이다.
· 꽃대는 꽃받침과 더불어 털이 있고 꽃잎은 끝이 오목하며 암술대에 퍼진 털이 있다.

열매 열매는 핵과로 둥글고 6~7월에 적홍색에서 자흑색으로 익는다.

이용
· 원예 및 조경수—꽃이 잎이 나오기 전에 탐스럽게 피어 가로수로 심는다.
· 치밀하고 틀어지지 않아 우수한 건축재, 경판용, 활 제작 등에 쓴다.

약용활용

생약명 | 야앵화(野櫻花)

이용부위 | 줄기껍질

채취시기 | 수시

약성미 | 성질은 차고 맛은 쓰다.

주치활용 | 해수, 육식에 체했을 때. 혈압을 강하, 혈중 당의 농도를 저하. 천식, 홍역, 해소, 피부염, 담마진, 소양증

효능 | 완화, 진해, 해독

학명 | Vaccinium vitis-idaea

분류 | 쌍떡잎식물 진달래목 진달래과

분포 | 한국(금강산 이북), 일본, 중국

형태 | 상록 소관목

월귤나무

서식 고산지대에서 자란다.

땅속줄기 땅속줄기가 뻗으면서 자라고 잔털이 난다.

잎
- 잎은 어긋나고 혁질이며 달걀 모양이거나 달걀을 거꾸로 세워 놓은 모양이다.
- 끝이 둔하고 가장자리가 밋밋하며 윤이 난다.
- 겉면은 짙은 녹색이고 뒷면에 검은 점이 있으며 끝은 오목하게 들어간다.

꽃
- 꽃은 5~6월에 흰색이나 연한 붉은색으로 핀다.
- 가지 윗부분의 총상꽃차례에 2~3개씩 달린다.
- 화관은 종처럼 생기고 밑을 향하며 끝이 4개로 갈라진다.
- 수술은 10개이며 수술대에 털이 난다.

열매 열매는 장과로서 둥글고 8~9월에 붉게 익는다.

이용
- 관상용으로 심는다.
- 열매는 신맛이 강하나 달콤하여 날로 먹거나 술을 만들고 잎은 약재로 쓴다.

약 용 활 용

생약명 | 월귤(越橘)

이용부위 | 열매

채취시기 | 잎－봄(6월), 열매－여름, 겨울

주치활용 | 전염성 설사, 담도염, 임질

효능 | 지통, 이뇨

2011 © 으름덩굴

학명 | Akebia quinata

분류 | 쌍떡잎식물 미나리아재비목 으름덩굴과

분포 | 한국(황해도 이남), 일본, 중국

형태 | 낙엽 덩굴식물

으름덩굴

서식 산과 들에서 자란다.

줄기 가지는 털이 없고 갈색이다.

잎
· 잎은 묵은 가지에서는 무리지어 나고 새 가지에서는 어긋나며 손바닥 모양의 겹잎이다.
· 작은잎은 5개씩이고 넓은 달걀 모양이거나 타원형이며 가장자리가 밋밋하고 끝이 약간 오목하다.

꽃
· 꽃은 암수 한 그루로서 4~5월에 자줏빛을 띤 갈색으로 피며 잎겨드랑이에 총상꽃차례로 달린다.
· 꽃잎은 없고 3개의 꽃받침조각이 꽃잎같이 보인다.
· 수꽃은 작고 6개의 수술과 암꽃의 흔적이 있으며, 암꽃은 크고 3~6개의 심피가 있다.
· 꽃받침은 3장이다.

열매 열매는 장과로서 긴 타원형이고 10월에 자줏빛을 띤 갈색으로 익으며 복봉선으로 벌어진다.

이용
· 창문가나 시렁에 퍼골라 등을 만들어 심어 관상하며, 담벽이나 나무에 올려서 관상한다.
· 열매는 식용하고, 어린 순을 나물로 먹는다.
· 줄기는 바구니 등의 세공재로 쓴다.

약용활용

생약명 | 목통(木通)
이용부위 | 과실, 목질경, 뿌리, 종자
채취시기 | 여름(6~7월)
약성미 | 성질은 차고 맛은 쓰며 독이 없다.
주치활용 | 현벽, 기괴, 천행온역, 중악실음
효능 | 거풍, 보오로칠상

2011 © 은행나무

학명 | Ginkgo biloba

분류 | 겉씨식물 은행나무목 은행나무과

원산지 | 중국

분포 | 온대지역

형태 | 낙엽교목

은행나무

줄기

- 나무껍질은 회색으로 두껍고 코르크질이며 균열이 생긴다.
- 가지는 긴 가지와 짧은 가지의 2종류가 있다.

잎

- 잎은 대부분의 겉씨식물이 침엽인 것과는 달리 은행나무의 잎은 부채꼴이며 중앙에서 2개로 갈라지지만 갈라지지 않는 것과 2개 이상 갈라지는 것 등이 있다.
- 잎맥은 2개씩 갈라진다.
- 긴 가지에 달리는 잎은 뭉쳐나고 짧은 가지에서는 총생한다.

꽃

- 꽃은 4월에 잎과 함께 피고 2가화이며 수꽃은 미상꽃차례로 달리고 연한 황록색이며 꽃잎이 없고 2~6개의 수술이 있다.
- 암꽃은 녹색이고 끝에 2개의 밑씨가 있으며 그 중 1개가 종자로 발육한다.
- 화분실에 들어간 꽃가루는 발육하여 가을에 열매가 성숙하기 전 정자를 생산하여 장란기에 들어가서 수정한다.

열매

- 열매는 핵과로 공 모양같이 생기고 10월에 황색으로 익는다.
- 바깥껍질에서는 냄새가 나고 피부에 닿으면 염증을 일으킨다.
- 중과피는 달걀 모양의 원형이며 2~3개의 능이 있고 백색이다.

이용 단풍이 좋은 은행잎은 잘 썩지 않는데 구충 효과가 있어 서책을 보관하는 데 이용했다.

약용활용

생약명 | 백과(白果)

이용부위 | 열매

채취시기 | 가을(9~10월)

약성미 | 성질은 독이 있으며 맛은 달고 쓰다.

주치활용 | 효천, 담수, 백대, 유정, 임병, 소변빈삭, 고혈압, 대하증

효능 | 진해, 거담, 천식, 유정, 자양

주의 | 생식하면 독성이 있으므로 익혀 먹어야 한다.

2011 © 음나무

학명 | Kalopanax pictus

분류 | 쌍떡잎식물 산형화목 두릅나무과

분포 | 한국, 일본, 만주, 중국

형태 | 낙엽교목

음나무

줄기 가지는 굵으며 크고 밑이 퍼진 가시가 있다.

잎
- 잎은 어긋나고 둥글며 가장자리가 5~9개로 깊게 갈라진다.
- 갈래조각에 톱니가 있으며 잎자루는 잎보다 길다.

꽃
- 꽃은 7~8월에 피고 황록색이며 복산형꽃차례에 달린다.
- 꽃잎과 수술은 5개씩이고 씨방은 하위(下位)이며 암술대는 2개이다.

열매 열매는 핵과로 둥글며 10월에 검게 익는다.

이용
- 어린 순은 독특한 맛과 향을 가진 나물이다.
- 잎은 그늘에 말려 차를 달여 마신다.
- 사지마비와 환부 치료약으로 사용했다.

약용활용

생약명 | 해동피(海桐皮)

이용부위 | 껍질

채취시기 | 여름(7~8월)

약성미 | 성질은 평하고 맛은 쓰고 맵다.

주치활용 | 근육미비, 요각통, 관절염, 옹저, 창, 개선, 악창, 저루, 하감, 구내염증

효능 | 거풍, 제습, 살충, 활혈

학명 | Prunus japonica var. nakaii

분류 | 쌍떡잎식물 장미목 장미과

분포 | 한국, 중국 북동부

형태 | 낙엽관목

이스라지

서식 산지에서 자란다.

줄기 수피는 회갈색이다.

잎
- 잎은 어긋나고 달걀 모양, 달걀 모양 타원형 이거나 긴 타원형이다.
- 잎 뒷면 맥 위에 잔털이 나고 가장자리에 잔 겹톱니가 있다.

꽃
- 꽃은 5월에 잎보다 먼저 또는 잎과 같이 잎겨드랑이에 핀다.
- 연한 붉은색이며 2~4개씩 산형꽃차례로 달린다.
- 꽃받침조각은 잔 톱니와 털이 난다.
- 수술은 꽃잎보다 짧고 암술대에는 잔털이 나며 씨방에는 털이 없다.

열매 열매는 둥근 모양의 핵과로서 7~8월에 앵두같이 붉게 익는다.

이용 관상용으로 심는다.

약 용 활 용

생약명 | 욱리인(郁李仁)

이용부위 | 열매

채취시기 | 가을철에 성숙한 과실을 채취한다.

약성미 | 성질은 평하고 맛은 맵고 쓰고 달며 독이 없다.

주치활용 | 대장기체, 조삽불통, 소변불리, 대복수종, 사지부종, 각기

효능 | 윤조활장, 하기, 이수

민간활용 | 겨울에 동상이 걸렸던 부위의 재발을 방지한다. 익은 열매를 따서 찧은 다음 즙을 동상이 있었던 부위에 헝겊으로 싸서 붙이거나 바른다.

주의 | 음허로 인한 진액결핍 및 임부의 경우는 신중히 복용해야 한다.

학명 | Chionanthus retusa

분류 | 쌍떡잎식물 용담목 물푸레나무과

분포 | 한국(중부 이남), 일본, 타이완, 중국

형태 | 낙엽교목

이팝나무

서식 산꼴짜기나 들판에서 자란다.

줄기 나무껍질은 잿빛을 띤 갈색이고 어린 가지에 털이 약간 난다.

잎
- 잎은 마주나고 잎자루가 길며 타원형이다.
- 가장자리가 밋밋하지만 어린 싹의 잎에는 겹톱니가 있다.
- 겉면은 녹색, 뒷면은 연두색이며 맥에는 연한 갈색 털이 난다.

꽃
- 꽃은 암수 딴 그루로서 5~6월에 피는데, 새가지 끝에 원뿔 모양 취산꽃차례로 달린다.
- 꽃받침과 화관은 4개로 갈라지고 꽃잎은 흰색이다.
- 작은꽃자루는 마디가 있다.
- 수술은 2개로서 화통에 붙으며, 암술은 1개이다.

열매 열매는 핵과로서 타원형이고 검은 보라색이며 10~11월에 익는다.

이용 꽃과 잎이 아름다워 가로수로 사용한다.

약용활용

생약명 | 탄율수(炭栗樹)

이용부위 | 열매

채취시기 | 가을(10~11월)

주치활용 | 수족마비, 중풍, 치매, 가래, 말라리아

효능 | 지사제, 건위제

2011 © 인동

학명 | Lonicera japonica

분류 | 쌍떡잎식물 꼭두서니목 인동과

분포 | 한국, 일본, 중국

형태 | 반상록 덩굴식물

인동

서식 산과 들의 양지바른 곳에서 자란다.

줄기
- 줄기는 오른쪽으로 길게 벋어 다른 물체를 감으면서 올라간다.
- 가지는 붉은 갈색이고 속이 비어 있다.

잎
- 잎은 마주 달리고 긴 타원형이거나 넓은 바소꼴이다.
- 가장자리가 밋밋하지만 어린 대에 달린 잎은 깃처럼 갈라진다.

꽃
- 꽃은 5~6월에 피고 연한 붉은색을 띤 흰색이지만 나중에 노란색으로 변하며, 2개씩 잎 거드랑이에 달리고 향기가 난다.
- 화관은 입술 모양이다.
- 화관통은 끝에서 5개로 갈라져 뒤로 젖혀지고 겉에 털이 빽빽이 난다.
- 꽃 밑에는 잎처럼 생긴 포가 마주난다.
- 포는 타원 모양이거나 달걀 모양이다.
- 수술 5개, 암술 1개이다.

열매 열매는 장과로서 둥글며 10~11월에 검게 익는다.

이용 차용—줄기와 잎을 말려 차로 사용한다.

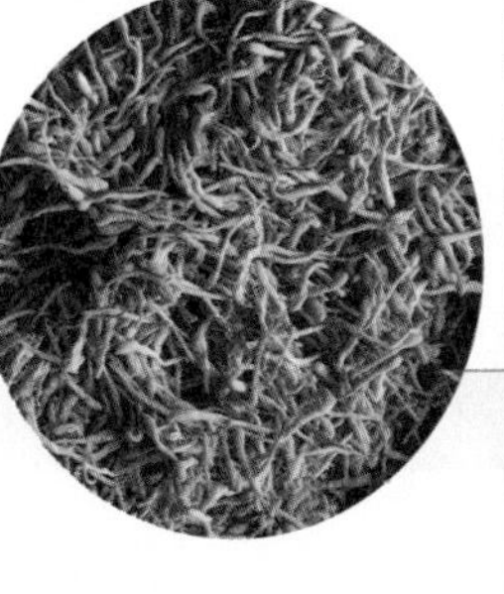

약 용 활 용

생약명 | 금은화(金銀花)

이용부위 | 꽃

채취시기 | 봄(5~6월)

약성미 | 성질은 차고 맛은 달다.

주치활용 | 열성병, 화농성, 질화, 급만성 임질, 매독, 농양, 개선, 종독, 악창, 습창, 관절통, 타박상, 종기, 화상, 류머티스, 맹장염, 간염, 장염

효능 | 산열, 해독, 소종, 거농, 소염, 청혈, 이뇨, 살균

주의 | 비위가 약한 사람은 쓰지 않는다.

학명 | Magnolia obovata

분류 | 쌍떡잎식물 미나리아재비목 목련과

원산지 | 일본

형태 | 낙엽교목

일본목련

서식 관상용으로 심는다.

줄기 나무껍질은 연한 회색이며 가지가 굵고 엉성하다.

잎
- 잎은 어긋나지만 가지 끝에서는 모여 달린 것 같고 달걀을 거꾸로 세운 듯한 모양의 긴 타원형이다.
- 잎 뒷면에는 흰빛 잔털이 있으며 가장자리가 밋밋하다.

꽃
- 꽃은 5~6월에 가지 끝에 1개씩 피고 흰색이며 향기가 강하다.
- 꽃받침조각 3개, 꽃잎 8~9개이고, 수술과 암술이 많으며 수술대는 분홍색이다.

열매
- 열매는 타원형이고 구과처럼 생겼으며 길이 15cm 내외로서 가을에 홍자색으로 익는다.
- 종자는 골돌 속에 2개씩 들어 있고 벌어져서 나오며 흰색 실에 매달린다.

이용 관상 가치가 있어 정원이나 공원에 심는다.

약 용 활 용

생약명 | 후박(厚朴)

이용부위 | 줄기껍질

채취시기 | 봄(5~6월)

약성미 | 성질은 따뜻하고 맛은 쓰고 맵다.

주치활용 | 흉협비만창통, 반위, 구토, 숙식불소, 담음천해, 한습사리

효능 | 온중, 하기, 건위, 정장, 소화, 수렴, 이뇨, 조습, 소담

주의 | 임부의 복용은 주의를 요한다.

학명 | Albizzia julibrissin

분류 | 쌍떡잎식물 장미목 콩과

분포 | 한국(황해도 이남), 일본, 이란, 남아시아

형태 | 낙엽소교목

자귀나무

서식 산과 들에서 자란다.

줄기
· 줄기가 굽거나 약간 드러눕는다.
· 큰 가지가 드문드문 퍼지며 작은 가지에는 능선이 있다.

잎
· 잎은 어긋나고 2회깃꼴겹잎이다.
· 작은잎은 낫같이 굽으며 좌우가 같지 않은 긴 타원형이고 가장자리가 밋밋하다.
· 작은잎은 양 면에 털이 없거나 뒷면의 맥 위에 털이 있다.

꽃
· 꽃은 연분홍색으로 6~7월에 피고 작은 가지 끝에 15~20개씩 산형으로 달린다.
· 꽃받침과 화관은 얕게 5개로 갈라지고 녹색이 돈다.
· 수술은 25개 정도로서 길게 밖으로 나오고 윗부분이 홍색이다.
· 꽃이 홍색으로 보이는 것은 수술의 빛깔 때문이다.

열매 열매는 9~10월에 익으며 편평한 꼬투리이고 5~6개의 종자가 들어 있다.

약 용 활 용

생약명 | 합환피(合歡皮)
이용부위 | 껍질
채취시기 | 여름(7~8월)
약성미 | 성질은 평하고 맛은 달고 독이 없다.
주치활용 | 심신불안, 우울불면증, 폐옹창종, 질타종통
효능 | 안신해울, 활혈소종
민간활용 | 관절염이나 요통에 전제로 하여 복용하거나 전즙을 만들어 환부에 발랐다.
주의 | 풍열자한과 외감불면자는 복용을 금한다.

학명 | Ardisia japonica

분류 | 쌍떡잎식물 앵초목 자금우과

분포 | 한국, 일본, 타이완, 중국

형태 | 상록 소관목

자금우

서식 산지의 숲 밑에서 자란다.

줄기
- 땅속줄기가 옆으로 벋으면서 군데군데에서 줄기가 나오고 가지가 갈라지지 않는다.
- 어린 가지의 끝에 선모가 있다.

잎 잎은 어긋나지만 위의 1~2층은 돌려나고 긴 타원형으로 두꺼우며 윤기가 있고 가장자리에 잔 톱니가 있다.

꽃
- 꽃은 6월에 피고 양성이며 흰색 또는 연한 홍색이고 잎겨드랑이에서 밑을 향하여 핀다.
- 화관은 깊게 5개로 갈라지고 잔 점이 있으며 5개의 수술과 1개의 암술이 있다.

열매 열매는 장과로서 9월에 둥글고 붉게 익으며 다음해 꽃필 때까지 남아 있다.

이용 정원의 지피식물이나 분재용으로 사용한다.

생약명 | 자금우(紫金牛)

이용부위 | 줄기, 잎

채취시기 | 1년 내내 어느 때든지 채취가 가능하다.

약성미 | 성질은 평하고 맛은 쓰다.

주치활용 | 만성기관지염, 토혈, 탈력노상, 간염, 이질, 급만성신염, 고혈압, 종독

효능 | 진해, 지담, 이뇨, 활혈, 해독, 거담, 항균

민간활용 | 소아 피부습진에 즙을 내어 환부에 바른다.

학명 | Prunus salicina

분류 | 쌍떡잎식물 장미목 장미과

원산지 | 중국

형태 | 낙엽교목

자두나무

서식 인가 부근에서 과수로 심는다.

줄기 일년생 가지는 적갈색이며 윤채가 있다.

잎 잎은 어긋나고 긴 달걀을 거꾸로 세운 듯한 모양 또는 타원형 긴 달걀 모양이며 가장자리에 둔한 톱니가 있다.

꽃 꽃은 4월에 잎보다 먼저 피고 흰색이며 보통 3개씩 달린다.

열매
- 열매는 달걀 모양 원형 또는 구형이다.
- 열매의 밑부분은 들어가고 7월에 노란색 또는 붉은 빛을 띤 자주색으로 익으며 과육은 연한 노란색이다.

이용 관상 가치가 있으며 날것으로 먹기도 하고 잼이나 파이 등으로도 가공한다.

약 용 활 용

생약명 | 이핵인, 이자

이용부위 | 열매

채취시기 | 여름(8~9월)

약성미 | 성질은 차며 맛은 떫고 쓰며 독이 없다.

주치활용 | 소갈, 당뇨병, 임병, 이질, 단독, 치통

효능 | 청열, 해독

2011 © 자목련

학명 | Melia azedarach var. japonica

분류 | 쌍떡잎식물 미나리 아재비목 목련과

원산지 | 중국

형태 | 낙엽교목

자목련

서식 관목상인 것이 많으며 관상용으로 심는다.

줄기 가지가 많이 갈라진다.

잎
- 잎은 마주나고 달걀을 거꾸로 세운 듯한 모양이며 가장자리가 밋밋하다.
- 양 면에 털이 있으나 점차 없어진다.

꽃
- 꽃은 4월에 잎보다 먼저 피고 검은 자주색이다.
- 꽃받침조각은 녹색이며 3개이다.
- 꽃잎은 6개이고 햇빛을 충분히 받았을 때 활짝 핀다.
- 꽃잎의 겉은 짙은 자주색이며 안쪽은 연한 자주색이다.
- 수술과 암술은 많다.

열매 열매는 달걀 모양 타원형으로 많은 골돌과로 되고 10월에 갈색으로 익으며 빨간 종자가 실에 매달린다.

이용 정원수로 가꾼다.

약용활용

생약명 | 신이(辛夷)

이용부위 | 꽃

채취시기 | 봄(4월, 꽃피기 전)

약성미 | 성질 따뜻하며 맛은 달고 독이 없다.

주치활용 | 풍한두통, 비연, 비색부통, 치흔

효능 | 산풍한, 통비규

주의 | 음허화황자와 기허자 및 두통이 혈허화치에 속한 자는 복용을 금한다.

학명 | Betula platyphylla var. japonica

분류 | 쌍떡잎식물 참나무목 자작나무과

분포 | 한국(중부 이북), 일본

형태 | 낙엽교목

자작나무

서식 깊은 산 양지쪽에서 자란다.

줄기 나무껍질은 흰색이며 옆으로 얇게 벗겨지고 작은 가지는 자줏빛을 띤 갈색이며 지점이 있다.

잎
- 잎은 어긋나고 삼각형 달걀 모양이며 가장자리에 불규칙한 톱니가 있다.
- 뒷면에는 지점과 더불어 맥액에 털이 있다.

꽃 암수 한 그루로서 꽃은 4월에 피고 암꽃은 위를 향하며 수꽃은 이삭처럼 아래로 늘어진다.

열매
- 열매이삭은 밑으로 처지며 포조각의 옆갈래조각은 중앙갈래조각 길이의 2~3배 정도이다.
- 열매는 9월에 익고 아래로 처져 매달리며, 열매의 날개는 열매의 나비보다 다소 넓다.

이용 나무껍질이 아름다워 정원수 · 가로수 · 조림수로 심는다.

약 용 활 용

생약명 | 엽북백화(葉北白樺)

이용부위 | 껍질

약성미 | 성질은 차가우며 맛은 쓰며 독이 없다.

주치활용 | 폐염, 하리, 황달, 신염, 뇨로감염증, 만성기관지염, 급성편도선염, 치주염, 급성유선염, 옹종, 양진, 화상, 이질, 해수, 구수, 양진, 통풍류머티즘, 종기

효능 | 청열, 이습, 거담, 진해, 소종, 해독

민간활용 | 소고기를 먹고 체한 데에는 화피를 불에 태워 물에 타 먹는다.

주의 | 비위가 약하고 하리하는 증상에는 복용을 금한다.

학명 | Callicarpa japonica Thunberg

분류 | 쌍떡잎식물 통화식물목 마편초과

분포 | 한국, 일본, 중국

형태 | 낙엽관목

작살나무

서식 산과 들에서 자란다.

줄기 가지는 어느 것이나 원줄기를 가운데 두고 양쪽으로 두 개씩 정확히 마주 보고 갈라져 있어 작살 모양으로 보인다.

잎
- 어린 가지와 새 잎에 별 모양 털이 있다.
- 회색 빛을 띤 갈색 가지에 달리는 잎은 마주나고 긴 타원형으로 윗부분이 좀더 넓다.
- 잎 끝이 뾰족하여 더욱 길게 느껴진다.
- 잎가장자리에는 잔 톱니가 나 있고 잎을 만져보면 질감이 좋다.

꽃
- 꽃은 8월에 피고 연한 자줏빛이며 취산꽃차례에 달린다.
- 꽃받침은 얕게 5개로 갈라지고 화관은 4개로 갈라진다.
- 겉에 털과 선점이 있고 안에는 4개의 수술과 1개의 암술이 있다.

열매 열매는 핵과로 둥글고 10월에 자주색으로 익는다.

약용활용

생약명 | 자주(紫珠)

이용부위 | 잎, 줄기, 뿌리

약성미 | 성질은 평하고 맛은 쓰다.

주치활용 | 코피, 토혈, 각혈, 대변출혈, 자궁출혈, 외상출혈, 종이, 인후증

효능 | 지혈, 항균

2011 © 잣나무

학명 | Pinus koraiensis

분류 | 겉씨식물 구과식물아강 구과목 소나무과

분포 | 한국, 일본, 중국 북동부, 우수리

형태 | 상록교목

잣나무

서식 해발고도 1,000m 이상에서 자란다.

줄기 나무껍질은 흑갈색이고 얇은 조각이 떨어지며 잎은 짧은 가지 끝에 5개씩 달린다.

잎 잎은 3개의 능선이 있고 양면 흰 기공조선이 5~6줄씩 있으며 가장자리에 잔 톱니가 있다.

꽃 꽃은 5월에 피고 수꽃이삭은 새가지 밑에 달리며 암꽃이삭은 새가지 끝에 달리고 단성화이다.

열매
- 열매는 구과(毬果)로 긴 달걀 모양이며 실편 끝이 길게 자라서 뒤로 젖혀진다.
- 종자는 날개가 없고 다음해 10월에 익으며 식용 또는 약용으로 한다.

이용
- 배젖에는 지방유 74%, 단백질 15%가 들어 있으며 자양강장 효과가 있다.
- 목재는 건축 및 가구재로서 매우 중요시되어 왔다.
- 백두산 지역에는 잎갈나무와 더불어 순림을 형성한 곳이 있다.

약용활용

생약명 | 해송자(海松子)

이용부위 | 잎, 열매

채취시기 | 가을(10~11월)

약성미 | 성질은 따뜻하고 맛은 달며 독이 없다.

주치활용 | 풍비, 두현, 조해, 토혈, 변비

효능 | 양액, 보기, 양혈, 식풍, 윤폐, 골장

민간활용 | 태아가 튼튼히 자라는데는 잣죽을 먹였다. 당뇨병, 폐결핵, 천식, 중풍, 화상, 간질 등에 쓰였다.

주의 | 변이 묽고 주간유정, 습담이 있는 자는 복용을 금한다.

학명 | Grewia biloba var. parviflora

분류 | 쌍떡잎식물 아욱목 피나무과

분포 | 한국, 중국 등지

형태 | 낙엽활엽 관목

장구밥나무

서식 바닷가 산기슭이나 내륙의 산과 들에서 자란다.

줄기 작은 가지는 잿빛 또는 잿빛을 띤 갈색이며 부드러운 털이 난다.

잎
- 잎은 어긋나고 달걀 모양이거나 넓은 타원 모양이다.
- 끝은 점차 뾰족해지고 밑은 둥글다.
- 가장자리에 불규칙한 겹톱니가 있거나 얕게 3갈래로 갈라진다.
- 밑동에 큰 맥이 3개 있고 표면은 거칠며 뒷면에 성모가 난다.
- 잎자루는 털이 난다.

꽃
- 꽃은 양성화로서 7월에 연노랑 빛으로 핀다.
- 잎겨드랑이에 5~8개씩 취산꽃차례 또는 산형꽃차례로 달린다.
- 꽃받침은 5갈래로 갈라지는데, 갈래조각은 거꾸로 선 바소 모양이다.
- 꽃잎은 5개이고 밑동에 꿀샘이 있다.
- 수술은 많으며 씨방은 2~4실(室)이다.

열매
- 열매는 둥글거나 장구 모양의 장과로서 노란색이거나 노랑 빛을 띤 붉은색이며 10월에 익는다.
- 종자는 1~4개 들어 있다.

이용 직접 종자를 뿌리거나 꺾꽂이 · 포기 나누기 등으로 번식한다.

약용활용

생약명 | 와와권(娃娃券)

이용부위 | 뿌리, 줄기, 잎

민간활용 | 가슴이 답답하고 헛배가 부를 때 뿌리, 줄기와 잎을 달여 먹으면 효능이 있다.

2011 © 전나무

학명 | Abies holophylla MAX

분류 | 겉씨식물 구과식물아강 구과목 소나무과

분포 | 전국의 심산에서 자생

형태 | 상록교목

전나무

· 나무껍질은 잿빛이 도는 흑갈색으로 거칠며 작은가지는 회갈색이고 털이 없거나 간혹 있고 얕은 홈이 있다.
· 겨울눈은 달걀 모양이고 털이 없으나 수지가 약간 있다.

· 잎은 나선상 배열로 줄 모양이고 끝이 뾰족하며 뒷면에 백색 기공선이 있다.
· 횡단면에는 수지구(樹脂溝)가 있다.

· 꽃은 양성화로 4월 하순경에 핀다.
· 수꽃이삭은 원통형이며 황록색이다.
· 암꽃이삭은 2~3개가 서로 접근하여 달리고 긴 타원형이며 꽃줄기가 있다.

· 열매는 구과(毬果)로 원통형으로서 끝이 뾰족하거나 둔하다.
· 10월 상순에 익으며, 실편은 거의 둥글고 흔히 밖에 수지가 묻으며 포는 밖으로 나타나지 않고 거의 원형이다.
· 종자는 달걀 모양의 삼각형이며 연한 갈색이다.

이용 목재는 펄프 원료나 건축용재 · 가구재료로 이용한다.

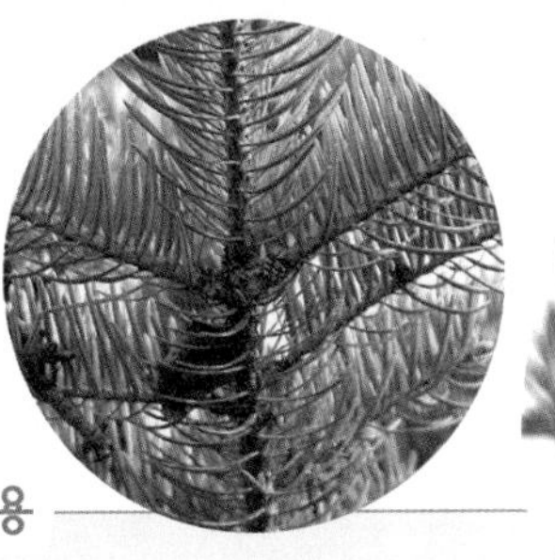

약 용 활 용

생약명 | 사송(沙松), 삼송(杉松)

이용부위 | 줄기, 잎

채취시기 | 잎-가을~이듬해 봄

약성미 | 성질은 따뜻하고 맛은 매우며 독이 없다.

주치활용 | 류머티즘, 요통, 혈액순환 촉진, 심신안정, 고혈압, 두통, 폐결핵

효능 | 혈액순환촉진, 보음

민간활용 | 잎 또는 싹과 잎이 붙은 어린 가지를 류마티스, 감기 때의 욕탕으로 쓰였고, 괴혈병에도 달여 마셨다.

학명 | Syringa patula var. kamibayshii (Nakai) K. Kim

분류 | 쌍떡잎식물 용담목 물푸레나무과

분포 | 한국(전라도와 경상도 이북), 만주

생육상 | 낙엽관목

정향나무

서식 산기슭에서 자란다.

줄기 가지가 많으며 피목이 있다.

잎
- 잎은 마주나고 타원형이나 달걀을 거꾸로 세운 듯한 모양 또는 거의 둥글며 가장자리가 밋밋하다.
- 잎 표면은 맥이 약간 들어가고, 뒷면 맥 위에는 털이 빽빽이 난다.

꽃
- 꽃은 5월에 피고 원추꽃차례에 달리며 꽃이삭은 묵은 가지에 달린다.
- 꽃받침은 자줏빛이 돌고 화관은 붉은 빛을 띤 자주색 또는 연한 보라색이다.
- 가장자리가 4개로 갈라져 옆으로 퍼진다.

열매 열매는 삭과로서 끝이 둔한 타원형이며 피목이 있다.

이용 꽃과 향이 좋아 관상수로 쓴다.

약용활용

생약명 | 산침향(山沈香), 정향(丁香)

이용부위 | 꽃

채취시기 | 꽃—9월에서 이듬해 3월 사이 꽃봉오리가 청색에서 선홍색으로 변할 때

약성미 | 성질은 따뜻하고 맛은 맵고 독이 없다.

주치활용 | 애역, 구토, 반위, 사리, 심복냉통, 현벽, 산기, 선중

효능 | 온중, 난신, 강역

민간활용 | 방향성 건위제로 뱃속의 냉증, 응체 및 식욕부진, 복통 등에 사용되어 왔다.

주의 | 열병과 음허내열자는 복용을 금한다.

2011 © 제주광나무

학명 | Ligustrum lucidum

분류 | 쌍떡잎식물 용담목 물푸레나무과

분포 | 한국(제주), 중국

형태 | 상록활엽 소교목

제주광나무

서식 산지에서 드물게 자란다.

줄기 가지가 많고 털이 없다.

잎
- 잎은 마주나고 달걀 모양으로 끝은 뾰족하며 톱니가 없고 혁질이다.
- 잎 앞면은 윤이 나고 뒷면은 뚜렷하지 않은 잔점이 있으며 잎맥이 뚜렷하다.

꽃
- 꽃은 양성으로 6월에 피고 백색이며 가지 끝에서 겹총상꽃차례를 이룬다.
- 화관은 깔때기 모양이다.

열매 열매는 핵과로 타원형이며 9~10월에 검게 익는다.

이용 정원수로 심는다.

약 용 활 용

생약명 | 여정목(女貞木)

이용부위 | 열매

채취시기 | 가을(9~10월)

약성미 | 성질은 서늘하고 맛은 달고 쓰며 독이 없다.

주치활용 | 간신음허로 인한 두목현운, 이명, 양목혼호, 요슬산연무력,수발조백, 골증노열

효능 | 현운이명, 요슬산연, 두훈, 목혼, 명목, 오발, 수발조백, 목암불명, 음허발열

2011 © 조록싸리

학명 | Lespedeza maximowiczii

분류 | 쌍떡잎식물 장미목 콩과의 관목

분포 | 한국 진도

형태 | 관목

조록싸리

서식 산야에서 자란다.

줄기 목재는 연한 녹색이다.

잎
- 잎은 어긋나고 석 장의 작은잎이 나온 잎이다.
- 작은잎은 달걀 모양의 타원형으로 뒷면에 긴 털이 있고 가장자리가 밋밋하다.

꽃
- 꽃은 6월에 홍자색으로 피고 잎겨드랑이에서 총상꽃차례로 달리며 밀원식물이다.
- 꽃받침은 중간 정도로 갈라지고 갈래조각 끝이 바늘같이 뾰족하다.
- 꽃잎에서는 기판이 자적색, 익판이 홍자색, 용골판이 연한 홍색이다.

열매 열매는 협과로 9~10월에 익고 넓은 바소꼴이며 끝이 뾰족하고 꽃받침과 더불어 털이 있다.

이용
- 종자는 신장형이며 녹색 바탕에 짙은 갈색 무늬가 있다.
- 나무껍질은 섬유로, 잎은 사료용으로, 줄기는 농가 소공예품을 만드는 데 쓰인다.

약 용 활 용

생약명 | 단서호지자(短序胡枝子)

이용부위 | 줄기, 잎

주치활용 | 폐의 호흡기능을 증강시키고, 열을 내린다.

효능 | 해열, 이뇨

2011 © 조팝나무

학명 | Spiraea prunifolia var. simpliciflora

분류 | 쌍떡잎식물 장미목 장미과

분포 | 한국, 대만, 중국 중부

형태 | 낙엽관목

조팝나무

서식 조팝나무는 산야에서 자란다.

줄기 줄기는 모여나며 밤색이고 능선이 있으며 윤기가 난다.

잎 잎은 어긋나고 타원형이며 가장자리에 잔 톱니가 있다.

꽃
- 꽃은 4~5월에 피고 백색이며 4~6개씩 산형꽃차례로 달린다.
- 가지의 윗부분은 전체 꽃만 달려서 백색 꽃으로 덮인다.
- 꽃잎은 달걀을 거꾸로 세운 모양이다.
- 꽃받침조각은 뾰족하며 각각 5개씩이고, 수술은 많으며 암술은 4~5개씩이고 수술보다 짧다.

열매 열매는 골돌로서 털이 없고 9월에 익는다.

이용
- 꽃잎이 겹으로 되어 있는 기본종은 일본산이며 관상용으로 심는다.
- 어린 순은 나물로 먹는다.

약용활용

생약명 | 목상산(木常山)

이용부위 | 뿌리

채취시기 | 늦가을~이른 봄

약성미 | 성질은 차갑고 맛은 쓰고 시며 맵고 독이 있다.

주치활용 | 인후종통, 학질, 감기발열, 신경통, 설사, 대하증, 담음

효능 | 해열, 수렴, 용토, 담정, 흉중, 담음, 적취

민간활용 | 신경통, 인후종통, 대하증, 설사 등에 쓰인다.

주의 | 임산부는 신중히 복용한다.

2011 © 졸참나무

학명 | Quercus serrata Thunberg

분류 | 쌍떡잎식물 참나무목 참나무과

분포 | 한국, 일본, 중국

형태 | 낙엽교목

졸참나무

서식 산지에서 자란다.

줄기 가지에 긴 털이 밀생한다.

잎
- 잎은 어긋나고 가장자리에 안으로 굽은 선상의 톱니가 있다.
- 잎 뒷면에는 누운 짧은 털과 여러 갈래로 갈라진 별 모양의 털이 있다.

꽃
- 꽃은 5월에 피고 잡성(雜性) 1가화이다.
- 수꽃이삭은 새 가지 밑에서 밑으로 처지고, 암꽃이삭은 위에서 곧게 선다.
- 수꽃은 화피가 5~8장, 수술은 3~12개이다.
- 암꽃은 화피가 6장이며, 암술대는 3개이다.

열매
- 열매는 견과이며 10월에 익는다.
- 열매인 도토리는 긴 타원형이며 얕은 각두(殼斗)로 받쳐 있다.

이용 열매는 주로 묵으로 만들어 식용하고 나무는 생장이 빠르고 좋은 용재이며 나무껍질은 염료로 이용한다.

약 용 활 용

생약명 | 청강수(靑岡樹)

이용부위 | 열매

채취시기 | 가을(10월)

약성미 | 성질은 따뜻하고 맛은 떫고 쓰다.

주치활용 | 장풍하혈, 붕중대하, 설사, 탈항, 이질, 소화불량, 소아적백리, 치질 출혈, 부스럼, 아메바성이질, 치통

효능 | 강장, 종독, 하혈, 수렴, 지혈,

민간활용 | 민간요법에서는 껍질을 늑막염에, 도토리를 두통에 나무를 태운 재를 절창에 사용한다.

2011 © 좀깨잎나무

학명 | Boehmeria spicata

분류 | 쌍떡잎식물 쐐기풀목 쐐기풀과

분포 | 한국, 중국, 일본

형태 | 반관목

좀깨잎나무

서식 산골짜기 시내 근처와 돌담 또는 숲가장자리에서 흔히 군생한다.

줄기 무더기로 나오고 붉은 빛이 돈다.

잎
- 잎은 마주 달리고 사각상 달걀 모양이며 끝이 꼬리처럼 길어지고 가장자리에 큰 톱니가 5~6개씩 있다.
- 잎 표면은 누운 털, 뒷면은 맥에만 털이 있다.
- 한 마디에 달리는 잎은 한쪽이 작은 것이 많다.

꽃
- 꽃은 7~8월에 피고 잎겨드랑이에 달리며 1가화이고 수상꽃차례이다.
- 수꽃이삭은 밑에 달리고 암꽃이삭은 위쪽에 달린다.
- 수꽃은 4개씩의 화피갈래조각과 수술이 있고 암꽃은 여러 개가 모여서 같이 달리며 통 같은 화피 안에 씨방이 1개씩 들어 있다.

열매 열매는 수과이고 달걀을 거꾸로 세운 긴 모양으로 10월에 익는다.

이용
- 수피를 섬유로 이용한다.
- 어린 순은 나물로 먹는다.

약 용 활 용

생약명 | 소적마근(小赤麻根)

이용부위 | 지상부

약성미 | 성질은 따뜻하고 맛은 싱겁다.

주치활용 | 소아마비, 습진, 토혈, 단독, 창종, 관절염, 번열, 독사교상

효능 | 이습, 거어, 청열, 해독, 산어, 지혈, 항암

학명 | Callicarpa dichotoma (Lour.) K.Koch

분류 | 쌍떡잎식물 통화식물목 마편초과

원산지 | 한국

형태 | 낙엽활엽관목

좀작살나무

서식 산지에서 자란다.

줄기 수피는 회갈색이며 소지는 네모지고 암자색 성상모가 있으나 점차 없어진다.

잎
- 잎은 대생하고 도란상 긴 타원형 또는 도란형이다.
- 점첨두 예저이고 표면은 짙은 녹색이다.
- 중륵 위에 성모가 있고 뒷면은 연한 녹색으로 선점이 있다.
- 맥 위에 성상모가 있고 가장자리의 밑부분 1/3부터 톱니가 있다.

꽃
- 꽃은 8월에 피고 양성화이다.
- 연한 자주색이고 취산화서는 액생하며 10~20개의 꽃이 달린다.
- 화경은 성모가 있다.
- 꽃받침은 털이 없고 수술은 4개로서 암술대는 수술과 길이가 같다.

열매 열매는 핵과인데 둥글고 10월에 짙은 자주색으로 익는다.

이용 관상용으로 이용한다.

약용활용

생약명 | 자주(紫珠)

이용부위 | 종자

채취시기 | 가을

약성미 | 성질은 약간 차고 맛은 쓰며 독이 없다.

주치활용 | 편도선염, 인후염, 산후풍, 타박상, 코피, 토혈, 각혈, 대변출혈, 자궁출혈, 외상출혈

효능 | 지혈

2011 © 주목

학명 | Taxus cuspidata

분류 | 겉씨식물 구과식물아강 구과목 주목과

분포 | 한국, 일본, 중국 동북부, 시베리아

형태 | 상록교목

주목

서식 고산 지대에서 자란다.

줄기 가지가 사방으로 퍼지고 큰 가지와 원대는 홍갈색이며 껍질이 얕게 띠 모양으로 벗겨진다.

잎
- 잎은 줄 모양으로 나선상으로 달린다.
- 옆으로 벋은 가지에서는 깃처럼 2줄로 배열한다.
- 표면은 짙은 녹색이고 뒷면에 황록색 줄이 있다.
- 잎맥은 양 면으로 도드라지고 뒷면에는 가장자리와 중륵 사이에 연한 황색의 기공조선이 있다.
- 잎은 2~3년 만에 떨어진다.

꽃
- 꽃은 잎겨드랑이에 달리고 단성화이며 4월에 핀다.
- 수꽃은 갈색으로 6개의 비늘조각으로 싸여 있고 8~10개의 수술과 8개의 꽃밥이 있다.
- 암꽃은 녹색으로 달걀 모양이며 1~2개씩 달리며 10개의 비늘조각으로 싸여 있다.

열매 열매는 핵과로 과육은 종자의 일부만 둘러싸고 9~10월에 붉게 익는다.

이용
- 원예 및 조경용으로 사용한다.
- 문갑, 담배갑, 바둑판, 장기판, 단장, 얼레빗, 활 등을 만들었다.

약용활용

생약명 | 자삼(紫杉)

이용부위 | 줄기, 잎

채취시기 | 여름(7~8월)

약성미 | 성질은 독이 있고 맛은 달다.

주치활용 | 신장병, 당뇨병, 유방암, 난소암

효능 | 이뇨, 통경

민간활용 | 당뇨병에 육식은 피하는 것이 좋다고 민간요법으로 전해져 오고 있다.

2011 © 주엽나무

학명 | Gleditsia japonica var. koraiensis

분류 | 쌍떡잎식물 장미목 콩과

원산지 | 한국

분포 | 전국, 만주, 일본, 중국

형태 | 낙엽 교목

주엽나무

서식 산골짜기나 냇가에서 자란다.

줄기
- 굵은 가지가 사방으로 퍼지며, 작은 가지는 녹색이고 갈라진 가시가 있다.
- 나무껍질은 흑갈색 또는 암회색으로 매끈하다.

잎
- 잎은 어긋나고 1~2회 깃꼴겹잎이다.
- 작은잎은 달걀 모양의 타원형 또는 긴 타원형으로 양 끝이 둥글며 가장자리에 물결 모양의 톱니가 있다.

꽃
- 꽃은 녹색으로 6월에 피며 잡성 1가화이고 총상꽃차례에 달린다.
- 꽃받침조각과 꽃잎은 5개씩이고 수술은 9~10개이다.

열매 열매는 협과로 비틀리며 10월에 익는다.

약용활용

생약명 | 조각자(皂角子)

이용부위 | 가지, 열매

채취시기 | 가을(10월)

약성미 | 성질은 따뜻하며 맛은 맵고 짜며 독이 있다.

주치활용 | 중풍, 두풍, 풍간, 후비, 담천, 비만, 적체, 관격불통, 옹종, 옴, 선질, 두창. 가시는 소종, 배농 등. 열매는 거풍, 거담

효능 | 통규, 척담, 수풍, 살충

주의 | 허약자, 임산부는 복용을 금한다.

2011 © 죽절초

학명 | Chloranthus glaber

분류 | 쌍떡잎식물 후추목 홀아비꽃대과

분포 | 한국(제주도), 일본, 대만, 중국, 인도, 말레이시아

형태 | 상록 아관목

죽절초

줄기 줄기는 녹색이며 털이 없고 마디가 두드러진다.

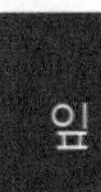

잎
- 잎은 마주 달리고 긴 타원형 또는 넓은 바소꼴로 가장자리에 굵은 톱니가 있으며 털이 없다.
- 표면에는 광택이 있다.

꽃
- 꽃은 6~7월에 피고 연한 황록색이며 수상꽃차례에 달린다.
- 꽃은 양성이고 꽃잎도 꽃받침도 없으며 수술과 암술이 1개씩 있다.
- 씨방은 달걀 모양이며 연한 녹색이다.

열매 열매는 11~12월에 결실하며 핵과로 육질이고 둥글며 5~6개 또는 10여 개씩 수상꽃차례로 달리고 붉게 익는다.

이용 겨울에도 열매가 달려 있어 싱싱한 잎과 잘 어울려 일본에서는 정초에 장식용으로 많이 사용한다.

약 용 활 용

- 생약명 | 구절다(九節茶)
- 이용부위 | 열매
- 채취시기 | 겨울(11~12월)
- 약성미 | 성질은 밋밋하고 맛은 맵다.
- 주치활용 | 폐렴(肺炎), 급성충수염, 급성위장염 균리, 류머티성 동통, 타박상 골절
- 효능 | 청열, 해독, 거풍, 제습, 활혈, 지통
- 주의 | 음화왕 증상 및 임산부에는 금한다.

2011 © 줄사철나무

학명 | Euonymus fortunei var. radicans

분류 | 쌍떡잎식물 무환자나무목 노박덩굴과

분포 | 한국, 일본, 중국

형태 | 상록관목

줄사철나무

서식 산기슭의 숲 속에서 자란다.

· 가지는 녹색이고 뚜렷하지 않은 잔 점이 있다.
· 약간 모가 나고 군데군데 뿌리를 내리면서 나무 줄기와 바위 등을 기어올라간다.

· 잎은 마주나고 두꺼우며 긴 타원 모양 또는 달걀 모양이고 가장자리에 둔한 톱니가 있다.
· 잎 표면은 짙은 녹색이지만 잎맥 주변은 잿빛이 도는 녹색이고, 잎 뒷면은 잿빛이 도는 녹색이며 털이 없다.

· 꽃은 5~6월에 연한 녹색으로 피고 잎겨드랑이에 취산꽃차례를 이루며 15개 내외가 달린다.
· 꽃받침조각 · 꽃잎 · 수술은 각각 4개이다.

열매
· 열매는 삭과이고 둥글며 10월에 연한 붉은 색으로 익는다.
· 다 익으면 4개로 갈라져서 황색이 도는 붉은색 껍질에 싸인 종자가 나온다.

이용 관상용으로도 심는다.

약 용 활 용

생약명 | 부방등(扶芳藤)

이용부위 | 줄기와 잎

채취시기 | 수시

주치활용 | 풍습성관절염, 골절상, 타박상, 생리불순, 기능성 자궁 출혈, 외상 출혈

효능 | 지혈

학명 | Ligustrum obtusifolium

분류 | 쌍떡잎식물 용담목 물푸레나무과

분포 | 한국(황해 이남), 일본 등지

형태 | 낙엽관목

쥐똥나무

서식 산기슭이나 계곡에서 자란다.

줄기
- 가지가 많이 갈라진다.
- 가지는 가늘고 잿빛이 도는 흰색이며, 어린 가지에는 잔털이 있으나 2년생 가지에는 없다.

잎
- 잎은 마주나고 긴 타원 모양이며 끝이 둔하고 밑 부분이 넓게 뾰족하다.
- 잎 가장자리는 밋밋하고, 잎 뒷면 맥 위에 털이 있다.

꽃
- 꽃은 5~6월에 흰색으로 피고 가지 끝에 총상꽃차례를 이루며 달린다.
- 꽃차례는 잔털이 많다.
- 화관은 통 모양이고 끝이 4개로 갈라지며, 갈라진 조각은 삼각형이고 끝이 뾰족하다.
- 수술은 2개이고 화관의 통부분에 달리며, 암술은 1개이다.

열매 열매는 장과이고 둥근 달걀 모양이며 10월에 검은색으로 익는다.

이용 생울타리로 심는다.

약용활용

생약명 | 수랍과(水蠟果)

이용부위 | 열매

채취시기 | 가을(9~10월)

약성미 | 성질은 미지근하고 맛은 달다.

주치활용 | 신체허약, 신허, 유정, 자한. 토혈, 육혈, 혈변

효능 | 강장, 지혈, 지행

민간활용 | 민간에서는 수랍과를 주로 정력증진제로 사용하였다.

2011 © 진달래

학명 | Rhododendron mucronulatum

분류 | 쌍떡잎식물 진달래목 진달래과

분포 | 한국, 일본, 중국, 몽골, 우수리 등지

형태 | 낙엽관목

진달래

서식 산지의 볕이 잘 드는 곳에서 자란다.

줄기 줄기 윗부분에서 많은 가지가 갈라지며, 작은 가지는 연한 갈색이고 비늘조각이 있다.

잎
- 잎은 어긋나고 긴 타원 모양의 바소꼴 또는 거꾸로 세운 바소꼴이다.
- 양 끝이 좁으며 가장자리가 밋밋하다.
- 잎 표면에는 비늘조각이 약간 있다.
- 뒷면에는 비늘조각이 빽빽이 있다.

꽃
- 꽃은 4월에 잎보다 먼저 피고 가지 끝부분의 곁눈에서 1개씩 나오지만 2~5개가 모여 달리기도 한다.
- 화관은 벌어진 깔때기 모양이다.
- 붉은 빛이 강한 자주색 또는 연한 붉은색이고 겉에 털이 있으며 끝이 5개로 갈라진다.
- 수술은 10개이고 수술대 밑부분에 흰색 털이 있으며, 암술은 1개이고 수술보다 훨씬 길다.

열매 열매는 삭과이고 원통 모양이며 끝부분에 암술대가 남아 있다.

이용 꽃은 꽃전을 만들어 먹거나 또는 진달래술(두견주)을 담그기도 한다.

약용활용

생약명 | 두견화(杜鵑花), 영산홍(迎山紅)

이용부위 | 꽃

채취시기 | 꽃이 피었을 때 채취한다.

약성미 | 성질은 따뜻하고 맛은 맵고 달다.

주치활용 | 토혈, 장풍하혈, 이질, 혈붕, 타박상, 혈압강화제

효능 | 화혈, 산어, 진해, 조경

주의 | 다량 복용하여 중독 상태에 이르면 오심과 침을 흘리며 수족마비, 호흡곤란, 부정맥을 일으켜 사망하는 수가 있으므로 많이 먹는 것은 삼가야 한다

2011 © 쪽동백나무

학명 | Styrax obassia

분류 | 쌍떡잎식물 감나무목 때죽나무과

분포 | 한국, 일본, 중국 등지

형태 | 낙엽교목

쪽동백나무

서식 산지의 숲속에서 자란다.

줄기
- 나무껍질은 잿빛을 띤 흰색이다.
- 어린 가지는 녹색이고 갈색의 털이 있으나 나중에 다갈색으로 변하며 털이 없어진다.

잎
- 겨울눈은 잎자루의 밑부분으로 둘러싸인다.
- 잎은 어긋나고 타원 모양 또는 둥근 달걀 모양이다.
- 끝이 뾰족하고 밑부분이 둥글며 윗부분 가장자리에 얕은 톱니가 있다.
- 잎 뒷면에 흰색의 성모가 빽빽이 있다.

꽃
- 꽃은 5~6월에 흰색으로 피고 새 가지 끝에 총상꽃차례를 이루며 달린다.
- 꽃받침은 5~9개로 얕게 갈라지고 털이 빽빽이 있다.
- 화관은 5개로 깊게 갈라지며 겉에 성모가 있다.
- 수술은 10개이고, 꽃밥은 노란색이며, 암술은 1개이다.

열매
- 열매는 핵과이고 달걀 모양의 원형 또는 타원 모양이다.
- 성모가 빽빽이 있고 9월에 익으며 다 익으면 과피가 불규칙하게 갈라진다.

이용 목재는 가구재·조각 재료로 쓰이고, 종자에서 기름을 짠다.

약 용 활 용

생약명 | 옥령화(玉鈴花)

이용부위 | 열매

약성미 | 성질은 독이 있다.

주치활용 | 기관지염, 후두염, 홍분성거담, 구충, 종기의 염증을 가라앉힌다.

효능 | 염증, 소종지통

2011 © 찔레나무

학명 | Rosa multiflora

분류 | 쌍떡잎식물 장미목 장미과

분포 | 한국, 일본 등지

형태 | 낙엽관목

찔레나무

서식 산기슭이나 볕이 잘 드는 냇가와 골짜기에서 자란다.

줄기 가지가 많이 갈라지며, 가지는 끝부분이 밑으로 처지고 날카로운 가시가 있다.

잎
- 잎은 어긋나고 5~9개의 작은잎으로 구성된 깃꼴겹잎이다.
- 작은잎은 타원 모양 또는 달걀을 거꾸로 세운 모양이고 양 끝이 좁고 가장자리에 잔 톱니가 있다.
- 잎 표면에 털이 없고, 뒷면에 잔털이 있으며, 턱잎은 아랫부분이 잎자루 밑부분과 붙고 가장자리에 빗살 같은 톱니가 있다.

꽃
- 꽃은 5월에 흰색 또는 연한 붉은색으로 피고 새 가지 끝에 원추꽃차례를 이루며 달린다.
- 작은꽃자루에 선모가 있고, 꽃받침조각은 바소꼴이며 뒤로 젖혀지고 안쪽에 털이 빽빽이 있다.
- 꽃잎은 달걀을 거꾸로 세운 모양이고 끝부분이 파지며 향기가 있다.

열매 열매는 둥글고 9월에 붉은색으로 익고 수과가 많이 들어 있다.

약용활용

생약명 | 영실(營實)

이용부위 | 열매

채취시기 | 가을(9월)—완전 붉기 전

약성미 | 성질은 서늘하고 맛은 시다.

주치활용 | 신염, 부종, 뇨불리, 각기, 창개옹종, 소변비삽, 월경복통

효능 | 이뇨, 해독, 사하, 제열, 활혈, 수종

민간활용 | 열매는 감기, 소아기침, 두통, 변비, 위장병에 사용해 왔다. 두드러기에 찔레나무의 꽃 5~6g을 달여 먹으면 특효가 있다고 한다.

주의 | 영실은 사하작용이 강하므로 과량 사용하면 설사 등의 부작용이 있으니 주의한다.

2011 © 차나무

학명 | Thea sinensis

분류 | 쌍떡잎식물 측막태좌목 차나무과

원산지 | 티베트와 중국 쓰촨성의 경계의 산악 지대

분포 | 열대, 아열대, 온대 지방

형태 | 상록교목 또는 관목

차나무

줄기 가지가 많이 갈라지고 일년지는 갈색이며, 잔털이 있고 이년지는 회갈색이이며 털이 없다.

잎
- 잎은 품종이나 위치에 따라 변이가 크지만 어긋나고 긴 타원 모양이다.
- 가장자리에 둔한 톱니가 있고 끝과 밑부분이 뾰족하다.
- 잎의 질은 단단하고 약간 두꺼우며 표면에 광택이 있다.
- 빛깔도 녹색 · 자주색 · 황색 · 갈색 등 여러 가지가 있다.
- 어린 잎이나 어린 싹의 뒷면에는 부드러운 털이 있다.

꽃
- 꽃은 10~11월에 흰색 또는 연분홍색으로 피고 잎겨드랑이 또는 가지 끝에 1~3개가 달린다.
- 꽃받침조각은 5개이고 둥글다.
- 꽃잎은 6~8개, 넓은 달걀을 거꾸로 세운 모양이고 뒤로 젖혀진다.
- 수술은 180~240개이고, 꽃밥은 노란색이다.
- 암술은 1개이고, 암술대는 3개이며 흰색 털이 빽빽이 있고, 씨방은 상위이며 3실이다.

열매
- 열매는 삭과이고 둥글며 모가 졌고 다음해 봄부터 자라기 시작하여 가을에 익기 때문에 꽃과 열매를 같은 시기에 볼 수 있다.
- 열매가 익으면 터져서 갈색의 단단한 종자가 나온다.

이용
- 잎은 4월경에 새 순을 따 볶아 말려 녹차로 마신다.
- 잎은 탄닌이 타르 흡수를 방지하기 때문에 담배를 끊는 데 효과가 있다.

약용활용

생약명 | 다엽(茶葉), 다수근(茶樹根), 다자(茶子)

이용부위 | 뿌리

채취시기 | 잎-봄, 뿌리-수시, 열매-가을

약성미 | 성질은 평하고 맛은 쓰다.

주치활용 | 심장병, 구창, 반피선

효능 | 지혈제, 화상제, 안약, 구강청결제, 설사약, 살빼는 약

민간활용 | 민간에서는 나무껍질, 새싹 등을 고장제, 이뇨제, 부종, 홍분, 강심제, 심장성 수종 등에 약으로 쓴다

주의 | 신장염에는 이뇨작용이 있는 차나무 잎을 달여 수시로 차 대용으로 마시면 효과가 있으나 혈압이 높은 사람에게는 금물이다.

2011 © 참느릅나무

학명 | *Ulmus parvifolia*

분류 | 쌍떡잎식물 이판화군 쐐기풀목 느릅나무과

분포 | 한국, 일본, 타이완, 중국

형태 | 낙엽교목

참느릅나무

서식 냇가 근처에서 자란다.

줄기
- 작은 가지에 털이 있다.
- 나무껍질은 조각으로 갈라져서 떨어진다.

잎
- 잎은 어긋난다.
- 두꺼우며 달걀을 거꾸로 세운 모양의 타원형 · 긴 타원형 또는 달걀을 거꾸로 세운 모양의 버소꼴로 양 끝이 좁다.
- 잎가장자리에 짧은 톱니가 있으며 털이 없고 윤기가 있다.
- 측맥이 10~20쌍이고 잎자루는 털이 있다.

꽃
- 꽃은 9월에 피고 잡성이며 황갈색이다.
- 수술은 4~5개이며, 꽃밥은 자황색이다.

열매
- 열매는 시과로 타원형이며 털이 없고 연한 갈색으로 10월에 익는다.
- 종자는 날개 중앙에 있다.

약 용 활 용

생약명 | 낭유경엽(榔楡莖葉)

이용부위 | 잎, 껍질

채취시기 | 여름(8~9월)

약성미 | 성질은 부드럽고 평하며 맛은 쓰다.

주치활용 | 창종, 요배산통, 치통

효능 | 완화제, 이뇨제

학명 | Euonymus sieboldianus

분류 | 쌍떡잎식물 이판화군 무환자나무목 노박덩굴과

분포 | 한국, 일본, 중국

형태 | 낙엽 소교목

참빗살나무

서식 산록 이하의 냇가 근처에서 자란다.

줄기 나무껍질이 평활하며 털이 없다.

잎 잎은 마주나고 바소꼴의 긴 타원형으로 끝이 뾰족하며 밑이 둥글고 가장자리에 둔한 톱니가 있다.

꽃 꽃은 단성화로 6월에 연한 녹색으로 피고 전년 가지의 잎겨드랑이에 취산꽃차례로 달린다.

열매
- 열매는 거꾸로 선 삼각형 모양의 심장형이며 4개의 능선이 있나.
- 홍색으로 익으며 4개로 갈라져서 주홍색 종자 껍질이 나타난다.

이용
- 어린 순을 나물로 식용한다.
- 지팡이 · 바구니의 재료로도 이용한다.

약 용 활 용

생약명 | 사면목(絲棉木)

이용부위 | 줄기, 열매

채취시기 | 생육기간 중 채취, 열매는 성숙

약성미 | 성질은 차고 맛은 쓰고 떫으며 약간의 독이 있다.

주치활용 | 루머티스성관절염, 요통, 폐색성혈전혈관염, 비출혈, 칠장, 치창

효능 | 거풍습, 활혈, 지통

민간활용 | 줄기 껍질은 기침약, 벌레 떼기약으로 쓴다. 민간에서는 열매와 잎의 추출액으로 출산 때 진통이나 월경 장애에 먹는다.

주의 | 약간의 독성이 있다. 잎을 복용하면 설사를 한다.

2011 © 참오동나무

학명 | Paulownia coreana

분류 | 쌍떡잎식물 합판화군 통화식물목 현삼과

분포 | 한국의 평남, 경기 이남

형태 | 낙엽교목

참오동나무

서식 촌락 근처에 심는다.

줄기 어린 가지에 털이 밀생한다.

잎
- 잎은 마주나고 달걀 모양의 원형이지만 오각형에 가깝고 끝이 뾰족하다.
- 밑은 심장저이고 표면에 털이 거의 없다.
- 뒷면에 갈색 성모가 있으며 가장자리에 톱니가 없다.
- 그러나 어린 잎에는 톱니가 있고 잎자루는 잔털이 있다.

꽃
- 꽃은 5~6월에 피고 가지 끝의 원추꽃차례에 달리며 꽃받침은 5개로 갈라진다.
- 갈래조각은 달걀 모양으로 길며 끝이 뾰족하고 서기도 하고 퍼지기도 하며 양면에 잔털이 있다.
- 화관은 자주색이지만 후부는 노란색이고 내외부에 성모와 선모가 있다.
- 4개의 수술 중 2개는 길고 털이 없으며 씨방은 달걀 모양으로 털이 있다.

열매 열매는 삭과로 달걀 모양이고 끝이 뾰족하며 털이 없고 10월에 익는다.

이용 목재는 장롱 · 상자 · 악기 등을 만든다.

약 용 활 용

생약명 | 동엽(桐葉), 동피(桐被)

이용부위 | 뿌리, 꽃, 잎, 나무껍질

채취시기 | 가을(가을철 과실이 거의 익었을 때)

약성미 | 성징은 차고 맛은 쓰다.

주치활용 | 해수, 가래, 천식

효능 | 거담, 지해, 평천

민간활용 | 초를 쩌서 붙이거나 짓찧어서 낸 즙을 바른다.

학명 | Spiraea fritschiana

분류 | 쌍떡잎식물 이판화군 장미목 장미과

분포 | 한국(중부 이북), 중국

형태 | 낙엽관목

참조팝나무

서식 산지에서 자란다.

줄기 가지는 모서리각이 있으며 털이 없고 자갈색이다.

잎
- 잎은 어긋나고 타원형 또는 달걀 모양의 타원형이다.
- 양 끝이 좁아들며 중앙 이하에는 톱니가 없고 뒷면에 털이 있다.

꽃
- 꽃은 5~6월에 핀다.
- 흰색 바탕에 연분홍색이 돌고 복산방꽃차례를 이룬다.
- 꽃받침조각은 뒤로 젖혀진다.
- 꽃잎은 둥글고 수술은 꽃잎 길이의 2배 정도이다.
- 씨방은 4~5개이며 수술의 밑부분과 더불어 연한 홍색이다.

열매 골돌에는 복봉선 이외에 털이 없으며 10월에 익는다.

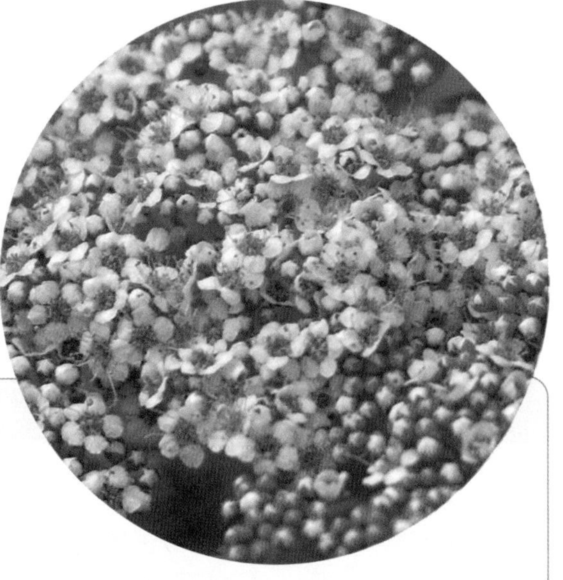

약용활용

생약명 | 목상산(木常山)

이용부위 | 뿌리

채취시기 | 늦가을~이른 봄

약성미 | 성질은 차갑고 맛은 쓰고 시며 맵고 독이 있다.

주치활용 | 인후종통, 학질, 감기발열, 신경통, 설사, 대하증, 담음

효능 | 해열, 수렴, 용토, 담정, 흉중, 담음, 적취

민간활용 | 신경통, 인후종통, 대하증, 설사 등에 쓰인다.

주의 | 임산부는 신중히 복용한다.

2011 © 참죽나무

학명 | Cedrela sinensis

분류 | 쌍떡잎식물 이판화군 쥐손이풀목 멀구슬나무과

원산지 | 중국

형태 | 낙엽교목

참죽나무

줄기 줄기는 얇게 갈라지며 붉은색이고 가지는 굵고 적갈색이다.

- 잎은 어긋나고 깃꼴겹잎이다.
- 작은잎은 10~20개이고 바소꼴 또는 긴 타원형이며 가장자리에 톱니가 없는 것도 있다.

- 꽃은 6월에 피고 흰색이며 종처럼 생기고 양성화로 원추꽃차례에 달린다.
- 꽃받침조각 · 꽃잎 · 수술 및 헛수술은 5개씩이고 암술은 1개이다.

- 열매는 삭과로 긴 타원형이고 5개로 갈라지고 밑부분은 합쳐진다.
- 종자는 타원형으로 10월에 익으며 윗부분에 긴 날개가 있어 열매가 벌어짐과 동시에 사방으로 흩어진다.

이용

- 잎은 저잠을 치는 사료로 사용했다(비단을 짜는 실을 얻었다).
- 목재가 굳고 결이 고우며 광택이 아름다워 고급가구재로 사용했다.

약 용 활 용

생약명 | 춘백피(椿白皮)

이용부위 | 줄기, 뿌리껍질

채취시기 | 봄(4~5월)

약성미 | 성질은 따뜻하고 맛은 쓰다.

주치활용 | 구충, 풍진, 개선, 설사, 이질, 버짐, 회충병, 구사구리, 만성하리, 장풍변혈, 대하, 유정

효능 | 청열, 조습, 살충, 조습, 삽장, 지혈

민간활용 | 뿌리껍질은 설사멎이약, 피멎이약으로 쓴다. 민간에서는 아이들 감질(疳疾)에 달여 비상약으로 썼다.

주의 | 비위의 허한 자, 혈붕, 대하로 상신하여 진음허에 속한 자는 피한다.

2011 © 참회나무

학명 | Euonymus oxyphyllus

분류 | 쌍떡잎식물 이판화군 무환자나무목 노박덩굴과

분포 | 한국, 일본, 중국

형태 | 낙엽관목 또는 소교목

참회나무

서식 계곡의 비탈면에서 자란다.

줄기 가지에 털이 없고 겨울눈은 끝이 뾰족하다.

잎
- 잎은 마주나고 달걀 모양에서 타원형으로 끝이 뾰족하다.
- 가장자리에 안으로 굽은 잔 톱니가 있고 양면에 털이 거의 없으며 짧은 잎자루가 있다.

꽃
- 꽃은 5월에 피고 밑으로 처지는 취산꽃차례를 이룬다.
- 꽃잎은 흰색이고 연한 자줏빛이 돌며 5개이다.
- 꽃받침은 5개로 갈라지고 수술은 5개, 암술은 1개이다.

열매
- 열매는 삭과로 둥글고 지름 1cm 정도이며 5개로 갈라지고 검붉은색으로 익는다.
- 적색 종의에 싸인 종자가 나와서 매달린다.
- 열매는 이를 구제하는 데 사용한다.

이용
- 어린 잎을 나물로 먹거나 종자를 기름을 짠며 정원수로 가치가 있다.
- 가지와 수피는 골절, 관절염에 사용한다.

약용활용

생약명 | 수사위모(垂絲衛矛)

이용부위 | 뿌리, 줄기껍질

채취시기 | 수시

약성미 | 성질는 미지근하고 맛은 쓰다.

주치활용 | 초기의 이질, 음낭습양, 관절산통, 타박상어혈, 부인의 한사, 무월경복통, 복수팽창, 골절손상

효능 | 활혈, 행어체, 통경축수

주의 | 임산부는 사용을 피한다.

2011 © 철쭉

학명 | Rhododendron schlippenbachii

분류 | 쌍떡잎식물 합판화군 진달래목 진달래과

분포 | 한국, 중국, 우수리

형태 | 낙엽관목

철쭉

서식 산지에서 자란다.

줄기 어린 가지에 선모(腺毛)가 있으나 점차 없어진다.

잎
- 잎은 어긋나지만 가지 끝에서는 돌려난 것 같이 보인다.
- 거꾸로 선 달걀 모양으로 끝은 둥글거나 다소 파이며 가장자리가 밋밋하다.
- 표면은 녹색으로 처음에는 털이 있으나 차츰 없어지며 뒷면은 연한 녹색으로 잎맥 위에 털이 있다.

꽃
- 꽃은 단성화로 5월에 피고 연분홍색이며 3~7개씩 가지 끝에 산형꽃차례를 이룬다.
- 꽃받침은 작은꽃줄기와 더불어 선모가 있다.
- 화관은 깔때기 모양이고 5개로 갈라지며 위쪽 갈래조각에 적갈색 반점이 있다.
- 수술은 10개, 암술은 1개이며 씨방에 선모가 있다.

열매
- 열매는 삭과로 달걀 모양의 타원형이고 선모가 있으며 10월에 익는다.
- 진달래를 먹을 수 있는 꽃이라 하여 '참꽃'이라 하지만, 철쭉은 먹을 수 없으므로 '개꽃'이라 한다.

이용
- 꽃과 수형이 아름다워 원예용으로 사용한다.
- 꽃은 경련발작과 호흡마비를 일으키는 유독식물이다.

약용활용

생약명 | 척촉(躑躅)

이용부위 | 꽃

채취시기 | 봄(5월)

약성미 | 성질은 따뜻하고 맛은 맵고 독이 있다.

주치활용 | 온학, 유행괴질, 고독

민간활용 | 진하게 달여 매일 머리를 감는다.(탈모증)

2011 © 청미래덩굴

학명 | Smilax china

분류 | 외떡잎식물 백합목 백합과

분포 | 한국, 일본, 중국, 필리핀, 인도차이나

형태 | 낙엽 덩굴식물

청미래덩굴

서식 산지의 숲가장자리에서 자란다.

뿌리줄기 굵고 딱딱한 뿌리줄기가 꾸불꾸불 옆으로 길게 뻗어간다.

줄기 줄기는 마디마다 굽으면서 자라고 갈고리 같은 가시가 있다.

잎
- 잎은 어긋나고 원형 · 넓은 달걀 모양 또는 넓은 타원형이며 두껍고 윤기가 난다.
- 잎자루는 짧고 턱잎이 칼집 모양으로 유착하며 끝이 덩굴손이다.

꽃
- 꽃은 단성화로 황록색이며 5월에 산형꽃차례를 이룬다.
- 화피갈래조각은 6개이며 뒤로 말리고 6개의 수술과 1개의 암술이 있다.
- 씨방은 긴 타원형으로서 3심이며 끝이 3개로 갈라진다.

열매 열매는 둥글며 9~10월에 붉은색으로 익으며, 명감 또는 망개라고 한다.

이용 열매는 식용하며 어린 순은 나물로 먹는다.

약용활용

생약명 | 발계(菝葜)

이용부위 | 뿌리

채취시기 | 연중 채취

약성미 | 성질은 평하고 맛은 달고 시며 독이 없다.

주치활용 | 관절염. 풍습비통, 요배동통, 창옹, 피부풍선, 이질, 자궁경미란

효능 | 이뇨, 해독, 거풍

주의 | 간신음휴자는 복용을 금한다.

2011 © 초피나무

학명 | Zanthoxylum piperitum

분류 | 쌍떡잎식물 이판화군 쥐손이풀목 운향과

분포 | 한국, 일본, 중국

형태 | 낙엽관목

초피나무

서식 산 중턱 및 산골짜기에서 자란다.

줄기 일년생 가지에 털이 있으나 차츰 없어지고 턱잎이 변한 가시는 밑으로 약간 굽었으며 마주나기 한다.

잎
- 턱잎이 변한 가시가 잎자루 밑에 1쌍씩 달리며 가시는 밑으로 약간 굽는다.
- 잎은 어긋나고 홀수1회 깃꼴겹잎이며, 작은잎은 달걀 모양으로 길다.
- 4~7개의 둔한 톱니가 있고 톱니 밑에 선점이 있으며 중앙부에 황록색 무늬가 있고 강한 향기가 있다.

꽃
- 꽃은 5~6월에 피고 단성화이며 잎겨드랑이에 산방상꽃차례로 달리고 황록색이다.
- 꽃받침조각은 5개이고 수꽃에는 5개의 수술이 있으며 암꽃에는 떨어진 씨방과 2개의 암술대가 있다.

열매 열매는 2분과로 9월에 붉게 익으며 검은 종자가 나온다.

이용 어린 잎을 식용, 열매를 약용 또는 향미료로 사용하고 수피를 전피라고 하며 물고기를 잡는 데 쓴다.

약 용 활 용

생약명 | 촉초(蜀椒)

이용부위 | 열매, 껍질

채취시기 | 가을(9~10월)

약성미 | 성질은 따뜻하고 맛은 매우며 독이 있다.

주치활용 | 치적식정음, 심복랭통, 구토, 희애, 해수기역, 풍한습비, 설사, 이질, 산통, 치통, 회충병, 요충병, 음양, 창개

효능 | 온중산한, 제습지통, 살충, 해어성독

민간활용 | 건위, 위장카타르, 위하수, 위 확장에 분말 산초를 복용한다.

주의 | 음허화왕자는 복용을 금하고 잉부는 신용한다.

2011 © 측백나무

학명 | Thuja orientalis

분류 | 측겉씨식물 구과식물아강 구과목 백나무과

분포 | 한국(단양, 양양, 울진), 중국

형태 | 상록교목

측백나무

줄기 작은 가지가 수직으로 벌어진다.

잎 잎은 비늘같이 생기고 마주나며 좌우의 잎과 가운데 달린 잎의 크기가 비슷하게 생겼기 때문에 세 잎이 W자를 이룬다.

꽃
- 꽃은 4월에 피고 1가화이며 수꽃은 전년 가지의 끝에 1개씩 달리고 10개의 비늘조각과 2~4개의 꽃밥이 들어 있다.
- 암꽃은 8개의 실편과 6개의 밑씨가 있다.

열매 열매는 구과로 원형이며 9~10월에 익고, 첫째 1쌍의 실편에는 종자가 들어 있지 않다.

약용활용

생약명 | 측백엽(側柏葉)

이용부위 | 잎

채취시기 | 가을

약성미 | 성질은 평하고 맛은 달고 독성이 없다.

주치활용 | 허번으로 인한 불면, 심계정충, 음허도한, 장조변비

효능 | 양심안신, 윤장통변, 도한, 신경쇠약, 심계항진, 불면, 신체허약, 구건, 번조, 변비

민간활용 | 자양강장에 백자인을 분말로 하여 복용한다.

주의 | 만성장염이거나 만성설사를 하는 사람은 신중하게 사용한다.

학명 | Caryopteris incana

분류 | 쌍떡잎식물 합판화군 통화식물목 마편초과

분포 | 한국(전남, 경남), 일본, 중국, 타이완의 난대에서 아열대

형태 | 낙엽아관목

층꽃나무

줄기 줄기가 무더기로 나와서 작은 가지에 털이 많으며 흰빛이 돈다.

잎
- 잎은 마주나고 달걀 모양이며 끝이 뾰족하다.
- 양 면에 털이 많고 가장자리에 5~10개의 굵은 톱니가 있다.

꽃
- 꽃은 7~8월에 피고 취산꽃차례를 이룬다.
- 꽃이삭이 잎겨드랑이에 많이 모여 달리면서 층층이지므로 층꽃나무라는 이름이 생겼다.
- 화관은 5개로 깊게 갈라지며 제일 큰 갈래조각의 가장자리는 실같이 갈라진다.
- 꽃은 연한 자줏빛이지만 연한 분홍색과 흰빛을 띠기도 한다.
- 암술대는 2개로 갈라지고 4개의 수술 중 2개는 길며 모두 꽃 밖으로 길게 나온다.

열매 열매는 꽃받침 속에 들어 있고 중앙에 능선이 있으며 검은색으로 익고 종자에는 날개가 있다.

이용 밀원식물, 관상용으로 심는다.

약용활용

생약명 | 난향초(蘭香草)

이용부위 | 지상부, 뿌리

채취시기 | 가을

주치활용 | 기관지염, 관절염, 하복부동통

학명 | Cornus controversa

분류 | 쌍떡잎식물 이판화군 산형화목 층층나무과

분포 | 한국, 일본, 중국

형태 | 낙엽교목

층층나무

서식 산지의 계곡 숲 속에서 자란다.

줄기
- 가지가 층층으로 달려서 수평으로 퍼진다.
- 작은 가지는 겨울에 짙은 홍자색으로 물들고, 봄에 가지를 자르면 물이 흐른다.

잎
- 잎은 어긋나고 넓은 타원형이며 끝이 뾰족하다.
- 잎가장자리가 밋밋하고 측맥이 5~8줄이고 잎자루가 붉으며 잎 뒷면은 흰색이다.
- 잎의 양면에 미세한 털이 있다.

꽃
- 꽃은 5~6월에 피고 흰색이며 산방꽃차례를 이룬다.
- 꽃잎은 넓은 바소꼴로 꽃받침통과 더불어 겉에 털이 있다.
- 수술은 4개이고 꽃밥이 T형으로 달리며 암술은 1개이다.

열매 열매는 핵과로 둥글며 자흑색으로 익는다.

이용 정원수로 이용한다

약 용 활 용

생약명 | 등대수(燈臺樹)

이용부위 | 줄기, 열매

채취시기 | 여름

약성미 | 성질은 약간 따뜻하고 맛은 시다.

주치활용 | 복통, 신경통, 감기몸살

효능 | 거풍

학명 | Gardenia jasminoides for. grandiflora

분류 | 쌍떡잎식물 합판화군 꼭두서니목 꼭두서니과

분포 | 한국, 일본, 중국, 타이완

형태 | 상록관목

치자나무

줄기 작은 가지에 짧은 털이 있다.

잎 잎은 마주나고 긴 타원형으로 윤기가 나며 가장자리가 밋밋하고 짧은 잎자루와 뾰족한 턱잎이 있다.

꽃
- 꽃은 단성화로 6~7월에 흰색으로 피었다가 황백색으로 되며 가지 끝에 1개씩 달린다.
- 꽃받침조각과 꽃잎은 6~7개이고, 수술도 같은 수이다.
- 꽃봉오리 때에는 꽃잎이 비틀려서 덮여 있다.

열매
- 열매는 달걀을 거꾸로 세운 모양 또는 타원형이며 9월에 황홍색으로 익는다.
- 6개의 능각이 있고 위에 꽃받침이 남아 있으며 성숙해도 갈라지지 않고, 안에는 노란색 과육과 종자가 있다.

이용 음식물의 착색제로 쓰고, 옛날에는 군량미의 변질을 방지하기 위해 치자물에 담갔다가 쪄서 저장하였다고 한다.

약용활용

생약명 | 치자(梔子)

이용부위 | 열매

채취시기 | 가을

약성미 | 성질은 차고 맛은 쓰며 독이 없다.

주치활용 | 황달, 임병, 소갈, 목적, 후통, 토혈, 뉵혈, 혈리, 뇨혈, 열독창양, 상종통

효능 | 청열, 사화, 량혈

주의 | 비허변당자는 복용을 금한다.

2011 © 칠엽수

학명 | Aesculus turbinata

분류 | 쌍떡잎식물 무환자나무목 칠엽수과

원산지 | 일본

형태 | 낙엽교목

칠엽수

줄기 굵은 가지가 사방으로 퍼지며 겨울눈은 크고 수지가 있어 점성이 있으며 어린 가지와 잎자루에 붉은 빛이 도는 갈색의 털이 있으나 곧 떨어진다.

잎
- 잎은 마주나고 손바닥 모양으로 갈라진 겹잎이다.
- 작은잎은 5~7개이고 긴 달걀을 거꾸로 세운 모양이다.
- 끝이 뾰족하고 밑 부분이 좁으며 가장자리에 잔 톱니가 있고 뒷면에는 붉은 빛이 도는 갈색의 털이 있다.
- 가운데 달린 작은잎이 가장 크고, 밑부분에 달린 작은잎은 자다.

꽃
- 꽃은 잡성화로 양성화와 수꽃이 있고 6월에 분홍색 반점이 있는 흰색으로 핀다.
- 가지 끝에 원추꽃차례를 이루며 많은 수가 빽빽이 달린다.
- 꽃차례는 짧은 털이 있다.
- 꽃받침은 종 모양이며 불규칙하게 5개로 갈라지고, 꽃잎은 4개이다.
- 수꽃에는 7개의 수술과 1개의 퇴화한 암술이 있다.
- 양성화는 7개의 수술과 1개의 암술이 있다.

열매
- 열매는 삭과이고 거꾸로 세운 원뿔 모양이며 3개로 갈라지며 10월에 익는다.
- 종자는 밤처럼 생기고 끝이 둥글며 붉은 빛이 도는 갈색이다.

이용 종자에 타닌을 제거한 후에 식용하고, 가로수, 정원수로 많이 심는다.

약 용 활 용

생약명 | 라자(娑羅子)

이용부위 | 열매

채취시기 | 가을(10월)

주치활용 | 위한통증, 완복창만, 감적충통

효능 | 관중, 이기, 살충

2011 © 칡

학명 | Pueraria thunbergiana

분류 | 쌍떡잎식물 장미목 콩과

형태 | 덩굴식물

칡

서식 산기슭의 양지에서 자란다.

줄기 줄기는 길게 뻗어가면서 다른 물체를 감아 올라가고 갈색 또는 흰색의 털이 있다.

잎
- 잎은 어긋나고 잎자루가 길며 석 장의 작은잎이 나온 잎이다.
- 작은잎은 털이 많고 마름모꼴 또는 넓은 타원 모양이다.
- 가장자리가 밋밋하거나 얕게 3개로 갈라진다.
- 잎 뒷면은 흰색을 띠고, 턱잎은 바소꼴이다.

꽃
- 꽃은 8월에 붉은빛이 도는 자주색으로 피고 잎겨드랑이에 총상꽃차례를 이루며 많은 수가 달린다.
- 포는 줄 모양이고 긴 털이 있으며, 작은포는 좁은 달걀 모양 또는 넓은 바소꼴이다.
- 화관은 나비 모양이다.

열매 열매는 협과이고 넓은 줄 모양이며 굵은 털이 있고 9~10월에 익는다.

이용 뿌리의 녹말은 갈분이라 하며 식용하고, 줄기의 껍질은 갈포의 원료로 쓰며 생체는 사료로 사용한다.

약 용 활 용

생약명 | 갈근(葛根)

이용부위 | 뿌리

채취시기 | 뿌리–초봄이나 늦가을, 꽃–여름

약성미 | 성질은 서늘하고 맛을 달고 시며 독이 없다.

주치활용 | 상한온열, 두통항강, 구갈, 소갈, 마진불투, 열리, 설사, 고혈압에 의한 목통증

효능 | 승양해기, 투진지사, 제번지갈

민간활용 | 미친개한데 물렸을 때 즙을 내어 먹고 찌꺼기는 상처에 바른다. 알콜중독 또는 패인 상처의 지혈에도 효과 있다.

주의 | 위가 차고 구토하며 땀이 많은 자는 복용을 금한다.

2011 © 탱자나무

학명 | Poncirus trifoliata

분류 | 쌍떡잎식물 쥐손이풀목 운향과

원산지 | 중국

분포 | 한국, 중국

형태 | 낙엽관목

탱자나무

· 가지에 능각이 지며 약간 납작하고 녹색이다.
· 가시는 굵고 어긋난다.

· 잎은 어긋나며 3장의 작은잎이 나온 잎이고 잎자루에 날개가 있다.
· 작은잎은 타원형 또는 달걀을 거꾸로 세워 놓은 모양이며 혁질이다.
· 끝은 둔하거나 약간 들어가고 밑은 뾰족하며 가장자리에 둔한 톱니가 있다.

꽃

· 꽃은 5월에 잎보다 먼저 흰색으로 피고 잎겨드랑이에 달린다.
· 꽃자루가 없고 꽃받침조각과 꽃잎은 5개씩 떨어진다.
· 수술은 많고 1개의 씨방에 털이 빽빽이 난다.
· 보통 귤나무류보다 1개월 정도 먼저 꽃이 핀다.

열매

· 열매는 장과로서 둥글고 노란색이며 9월에 익는데, 향기가 좋으나 먹지 못한다.
· 종자는 10여 개가 들어 있으며 달걀 모양이고 10월에 익는다.

이용 나무는 산울타리로 쓰고 귤나무의 대목으로도 쓴다.

약 용 활 용

생약명 | 지실(枳實), 지각(枳殼)

이용부위 | 열매

채취시기 | 가을(9~10월)

약성미 | 성질은 서늘하고 맛은 쓰고 맵고 씨며 독이 없다.

주치활용 | 술을 빨리 깨게함, 발한, 습진, 소화불량

효능 | 건위작용, 건위, 이뇨, 거담, 진통

주의 | 비위허약자와 임산부는 금한다.

2011 © 튤립나무

학명 | *Liriodendron tulipifera*

분류 | 쌍떡잎식물 미나리아재비목 목련과

원산지 | 북아메리카

분포 | 한국, 미국 등지

형태 | 낙엽활엽교목

튤립나무

줄기 나무껍질은 잿빛과 검은 빛이 섞인 갈색이다.

잎
- 잎은 어긋나고 넓고 둥근 달걀 모양이다.
- 버즘나무의 잎 끝을 수평으로 자른 듯이 보이며 턱잎이 겨드랑눈을 둘러싼다.

꽃
- 꽃은 5~6월에 녹색을 띤 노란색으로 피고 가지 끝에 튤립 같은 꽃이 1개씩 달린다.
- 꽃받침조각은 3개, 꽃잎은 6개이다.
- 꽃잎 밑동에는 주황색의 무늬가 있다.
- 암술과 수술이 많고 꽃이 진 다음 꽃턱이 자란다.

열매 열매는 폐과로서 10~11월에 익으며, 날개가 있고 종자가 1~2개씩 들어 있다.

생약명 | 미국아장추(美國鵝掌楸)

이용부위 | 나무껍질

채취시기 | 수시

주치활용 | 풍한습으로 인한 해수, 천식, 호흡곤란, 구갈

효능 | 제습지해

학명 | Daphne genkwa

분류 | 쌍떡잎식물 도금양목 팥꽃나무과

분포 | 한국, 일본, 중국

형태 | 낙엽관목

팥꽃나무

서식 바닷가 근처에서 자란다.

줄기 가지는 검은 갈색이며 누운 털이 있다.

잎 잎은 마주나지만 때로는 어긋나게 달리고 긴 타원형 또는 거꾸로 선 바소꼴로 뒷면에 털이 있으며 가장자리가 밋밋하다.

꽃
- 꽃은 3~5월에 피고 지난해에 난 가지 끝에 3~7개가 산형꽃차례로 달린다.
- 꽃은 연한 자주색이다.
- 꽃받침은 통처럼 생기고 겉에 잔털이 있으며 끝이 4개로 갈라져서 꽃잎같이 된다.
- 꽃잎은 없고 수술은 4~8개가 꽃받침통에 2줄로 달린다.

열매 열매는 장과로서 둥글고 투명하며 연한 자줏빛을 띤 홍색으로 7월에 익는다.

이용
- 관상용으로 심는다.
- 뿌리꽂이와 종자로 번식하고 줄기의 꺾꽂이는 그리 좋지 않으며 반 정도 그늘진 곳에 심는 것이 좋다.

약용활용

생약명 | 원화(元花)

이용부위 | 꽃

채취시기 | 봄(3월 꽃이 피기 전)

약성미 | 성질은 따뜻하고 맛은 맵고 쓰며 독이 있다.

주치활용 | 수종창만, 흉복적수, 담음적취, 기역천해, 개선독창, 동창, 담음벽적, 협통, 식중독, 온역, 옹종

효능 | 사수, 축음, 해독, 살충, 척담

민간활용 | 주근깨는 여름에 핀 팥꽃을 꺾어 손으로 비벼 나오는 즙을 얼굴에 바른다.

주의 | 임산부의 경우는 복용을 금한다. 감초와 같이 사용해서는 안 된다.

2011 © 팽나무

학명 | Celtis sinensis

분류 | 쌍떡잎식물 쐐기풀목 느릅나무과

분포 | 한국, 중국, 일본

형태 | 낙엽교목

팽나무

서식 인가 근처의 평지에서 자란다.

줄기
- 줄기가 곧게 서며 가지가 넓게 퍼진다.
- 수피는 회색이며 가지에 잔털이 있다.

잎 잎은 어긋나고 달걀 모양에서 달걀 모양 타원형이며 윗부분에 톱니가 있다.

꽃
- 꽃은 잡성화로 5월에 핀다.
- 새로 자란 가지의 밑부분에 수꽃이 취산꽃차례로 달리고 윗부분의 잎겨드랑이에 1~3개의 암꽃이 달린다.
- 꽃받침조각은 4개이며 수꽃에는 4개의 수술과 퇴화한 1개의 암술이 있다.
- 암꽃에는 짧은 수술과 암술대가 2개로 갈라진 1개의 암술이 있다.

열매
- 열매는 핵과로서 둥글고 등황색으로 10월에 익으며 맛이 달다.
- 표면에는 그물 같은 주름이 있다.

이용
- 적색으로 익는 열매가 아름다워 관상 가치가 높다.
- 옛날부터 방풍림이나 녹음을 위해 심었다.
- 목재는 가구재 · 운동기구재로 이용되며, 도마의 재료로 가장 좋다.

약 용 활 용

생약명 | 박수(朴樹)

이용부위 | 잎, 껍질

채취시기 | 수피－가을, 잎－연중

주치활용 | 생리조절, 요통, 두드러기, 폐옹

효능 | 하기, 통경, 건위

민간활용 | 민간에서는 열매와 줄기를 대머리, 대하증, 통변, 불면증 등에 사용한다. 수피를 월경분순과 소화불량에 잎을 옻오름에 이용한다.

학명 | Vitis spp.

분류 | 쌍떡잎식물 갈매나무목 포도과

형태 | 낙엽성 덩굴식물

포도나무

줄기 덩굴의 길이는 3m 내외이다.

잎 덩굴손이 있으며, 종에 따라서 연속 또는 단속적으로 잎과 마주난다.

꽃
- 암수 딴 그루 또는 양성주로 5~6월에 원추꽃차례로 노란 빛을 띤 녹색 꽃이 달린다.
- 꽃잎은 5개이며 녹색으로, 위쪽이 융합한다.
- 암그루에서는 씨방 상위의 암술과 기능이 없는 화분을 가진 5개 남짓한 수술로 이루어진다.
- 암술과 수술 사이에는 화반이 있다.
- 수그루에서는 기능이 있는 화분을 가진 수술이 달리지만 암술은 없다.
- 양성주에서는 암술 · 수술이 모두 기능이 있다.

열매
- 열매는 액과로 8~10월에 익는다.
- 과피는 짙은 자줏빛을 띤 검은색, 홍색 빛을 띤 붉은색, 노란 빛을 띤 녹색 등이다.
- 과형도 공 모양, 타원 모양, 양 끝이 뾰족한 원기둥 모양 등 다양하다.

이용 열매는 과일로 먹거나 포도주를 만든다.

약용활용

생약명 | 포도(葡萄)

이용부위 | 열매

채취시기 | 여름(8~9월)

약성미 | 성질은 평하고 맛은 강한 단맛이다.

주치활용 | 지방간 또는 고혈압, 심장병, 관절염, 각종 성인병

효능 | 이뇨, 보혈, 해수, 천식, 건위, 자양강장, 수렴

주의 | 당뇨병으로 칼로리를 제한하고 있는 사람은 과식을 삼가야 한다.

학명 | *Chaenomeles japonica*

분류 | 쌍떡잎식물 장미목 장미과

분포 | 한국, 일본

형태 | 낙엽관목

풀명자나무

서식 산지의 밝은 숲 속에서 자란다.

줄기
- 가지가 많이 갈라지고 밑부분은 비스듬히 옆으로 자라며 가시로 변한 가지가 있다.
- 새 가지에는 처음에 잔 털이 있다.

잎
- 잎은 어긋나고 달걀을 거꾸로 세운 듯한 모양이며 가장자리에 둔한 톱니가 있다.
- 잎 끝은 둥글거나 둔하다.

꽃
- 꽃은 4~5월에 피고 짧은 가지에 1개 또는 2~4개씩 달라붙는다.
- 꽃받침조각과 꽃잎은 5개씩이다.
- 꽃잎은 붉은색이고 씨방은 하위이다.

열매 꽃의 씨방은 자라서 열매로 되며 노란색으로 익는다.

이용 열매에 말산 · 시트르산 · 타르타르산 등의 유기산이 3% 정도 들어 있으며 강장과 정장작용이 있다.

약 용 활 용

생약명 | 일모과(日木瓜)

이용부위 | 열매

채취시기 | 열매가 익으면 채취해서 2~3등분 하고 햇볕에 말린다.

약성미 | 성질은 따뜻하고 맛은 시고 떫다.

주치활용 | 각기병. 류머티즘, 피로회복

효능 | 진해, 지통, 이수, 요통, 이뇨

민간활용 | 민간약으로 열매를 수전증에 썼다.

학명 | Hamamelis japonica

분류 | 쌍떡잎식물 장미목 조록나무과

원산지 | 일본

분포 | 한국(중부 이남)

형태 | 낙엽관목 또는 소교목

풍년화

서식 중부 이남에서 관상용으로 심고 있다.

줄기
- 밑에서 줄기가 많이 올라와 큰 포기를 이룬다.
- 수피는 회색빛을 띤 갈색으로 매끄럽고 작은가지는 노란 빛을 띤 갈색 또는 어두운 갈색이다.

잎
- 잎은 어긋나고 네모진 원형 또는 달걀을 거꾸로 세운 듯한 모양이며 털이 없다.
- 잎 끝이 둔하고 밑은 찌그러져서 좌우가 같지 않으며 윗부분에 둔한 톱니가 있다.
- 잎 표면에 주름이 조금 있고 잎자루에 털이 있다.

꽃
- 꽃은 4월에 잎보다 먼저 피고 노란색이다.
- 꽃잎은 4개이고 줄 모양 바소꼴이며 다소 쭈글쭈글하다.
- 수술은 4개, 암술은 1개이며 암술대는 2개이다.

열매
- 열매는 삭과로서 10월에 익는데, 달걀 모양 구형이고 짧은 솜털이 빽빽이 나며 2개로 갈라진다.
- 종자는 검고 탄력으로 튀어나온다.

약 용 활 용

생약명 | 금루매(金鏤梅)

이용부위 | 나무껍질과 잎

채취시기 | 봄(5월)

주치활용 | 피부 관련 질한, 타박상, 벌레 물린데, 출산 전후 여성 치질

효능 | 수감, 지혈, 치질, 화상

2011 © 피나무

속명 | 달피나무

학명 | Tilia amurensis

분류 | 쌍떡잎식물 아욱목 피나무과

분포 | 한국, 중국, 몽골, 헤이룽 강

형태 | 낙엽 활엽교목

피나무

서식 숲속 골짜기에서 자란다.

줄기 어린 가지에 짧은 털이 있거나 없다.

잎
- 잎은 어긋나고 넓은 달걀 모양이다.
- 잎 끝이 급히 길어져 뾰족하고 밑은 심장밑 모양이다.
- 잎 앞면에는 털이 없고 뒷면은 회색 빛을 띤 녹색으로 맥겨드랑이에 갈색 털이 있으며 가장자리에 뾰족한 톱니가 있다.

꽃
- 꽃은 6월에 피고 3~20개가 취산꽃차례에 달리며 꽃자루 중앙에 바소꼴 또는 거꾸로 선 바소꼴의 포가 달려 있다.
- 포는 끝이 둔하다.
- 꽃받침조각은 타원형으로 선단 겉에 털이 있고 꽃잎은 바소꼴로 꽃받침보다 길다.
- 수술은 꽃잎보다 길고 암술대는 길이 4mm이며, 씨방에 흰색 털이 있다.

열매 열매는 견과로서 원형 또는 달걀을 거꾸로 세운 듯한 모양이고 흰색 또는 갈색 털이 빽빽이 나며, 9~10월에 익는다.

이용
- 꽃은 향기가 좋아 꿀벌의 밀원이며, 차로 이용한다.
- 자루, 포대, 지게등받이, 노끈, 새끼, 로프, 어망, 그물, 미투리, 꼴망태, 망태, 삿자리, 조각재, 바둑판, 소반, 이남박, 함지박 등을 만든다.

약용활용

생약명 | 모피목(毛皮木)

이용부위 | 전초

채취시기 | 가을~봄

약성미 | 성질은 차고 맛은 쓰다.

주치활용 | 류머티스성관절염, 위암, 헛배부른 데, 위염, 위궤양

효능 | 발한 작용, 소염

속명 | 함백이꽃, 함박이, 옥란, 천녀목란, 천녀화

학명 | Magnolia sieboldii

분류 | 쌍떡잎식물 미나리아재비목 목련과

분포 | 한국, 일본, 중국 북동부

형태 | 낙엽소교목

함박꽃나무

서식 산골짜기의 숲 속에서 자란다.

줄기
- 원줄기와 함께 옆에서 많은 줄기가 올라와 군생한다.
- 가지는 잿빛과 노란 빛이 도는 갈색이며 어린 가지와 겨울눈에 눈털이 있다.

잎
- 잎은 어긋나고 달걀을 거꾸로 세운 듯한 모양 또는 달걀을 거꾸로 세운 듯한 모양의 긴 타원형이다.
- 잎 끝이 급히 뾰족해지며 가장자리가 밋밋하고 뒷면은 회색 빛이 도는 녹색으로 맥 위에 털이 있다.

꽃
- 꽃은 5~6월에 흰색의 양성으로 피고 잎이 난 다음 밑을 향하여 달리며 향기가 있다.
- 꽃잎은 6~9개이고 수술은 붉은 빛이 돌며 꽃밥은 밝은 홍색이다.

열매 열매는 타원형 골돌과로 9월에 익으면 실에 매달린 종자가 나온다.

이용
- 관상용으로 심는다.
- 꽃이 탐스럽고 향기가 좋은 관상가치가 아주 높은 식물이다.

약 용 활 용

- 생약명 | 천녀화(天女花)
- 이용부위 | 꽃
- 채취시기 | 봄(5월)
- 약성미 | 성질은 차고 맛은 쓰다.
- 주치활용 | 폐허해수, 담중대혈
- 효능 | 윤폐지해, 담중대혈
- 민간활용 | 수피를 건위제 · 구충제 등으로 약용한다.

2011 © 해당화

속명 | 해당나무, 해당과, 필두화

학명 | Rosa rugosa

분류 | 쌍떡잎식물 장미목 장미과

분포 | 동북아시아

형태 | 낙엽관목

해당화

서식 바닷가 모래땅에서 흔히 자란다.

줄기 가지를 치며 갈색 가시가 빽빽이 나고 가시에는 털이 있다.

잎
- 잎은 어긋나고 홀수 깃꼴겹잎이다.
- 작은잎은 5~9개이고 타원형에서 달걀 모양 타원형이며 두껍고 가장자리에 톱니가 있다.
- 표면에 주름이 많고 뒷면에 털이 빽빽이 남과 동시에 선점이 있다.
- 딕잎은 잎같이 크다.

꽃
- 꽃은 5~7월에 피고 가지 끝에 1~3개씩 달리며 홍색이지만 흰색 꽃도 있다.
- 꽃잎은 5개로서 넓은 심장이 거꾸로 선 모양이며 향기가 강하다.
- 수술은 많고 노란색이며, 꽃받침조각은 녹색이고 바소꼴이며 떨어지지 않는다.

열매 열매는 편구형 수과로서 붉게 익으며 육질부는 먹을 수 있다.

이용
- 관상용이나 밀원용으로 심는다.
- 어린 순은 나물로 먹고, 뿌리는 당뇨병 치료제로 사용한다.
- 향기가 좋아 관상가치가 있다.

약 용 활 용

생약명 | 매괴화(玫瑰花)

이용부위 | 뿌리꽃열매

채취시기 | 봄(5~6월)

약성미 | 성질은 따뜻하고 맛은 달고 약간 쓰며 독이 없다.

주치활용 | 치간위기통, 신구풍비, 토혈각혈, 월경부조, 적백대하, 이질, 유옹, 종독

효능 | 이기, 해울, 화혈, 산어

민간활용 | 해당화의 뿌리는 민간약으로 쓰이는 데, 당뇨병, 건위, 통경, 유방암의 치료에 쓰인다.

학명 | Juniperus chinensis

분류 | 겉씨식물 구과식물아강 구과목 측백나무과

분포 | 한국, 일본, 중국, 몽골

형태 | 상록교목

향나무

줄기 새 가지는 녹색이고 3년생 가지는 검은 갈색이다.

잎
- 7~8년생부터 비늘 같은 부드러운 잎이 달리지만 맹아에서는 침엽이 돋는다.
- 잎은 마주나거나 돌려나며 가지가 보이지 않을 정도로 밀생한다.

꽃
- 꽃은 단성화이며 수꽃은 황색으로 가지 끝에서 긴 타원형을 이룬다.
- 암꽃은 교대로 마주 달린 비늘조각 안에 달린다.

열매
- 열매는 구과로 원형이며 흑자색이다.
- 성숙하면 비늘조각은 육질로 되어 핵과 비슷하게 되고 2~4개의 종자가 들어 있고 다음해 9~10월에 익는다.

이용
- 민예품과 향재를 만든다.
- 향나무가 청정을 뜻하기에 문묘, 묘지, 궁궐, 우물가 등에 심었다.

약용활용

생약명 | 자단향(紫檀香)

이용부위 | 기타

채취시기 | 잎을 언제든지 채취하여 말린다.

약성미 | 성질은 따뜻하고 맛은 짜다.

주치활용 | 오독, 중풍, 곽란, 심복통, 피부병

효능 | 신경통, 관절염

주의 | 산모는 복용을 금한다.

2011 © 헛개나무

속명 | 지구자나무

학명 | Hovenia dulcis

분류 | 종자식물문 쌍떡잎식물아강 갈매나무과

분포 | 한국(강원과 황해 이남), 일본, 중국

형태 | 낙엽교목

헛개나무

줄기 수피는 흑회색이며 작은가지는 갈자색으로 피목이 있다.

겨울눈 겨울눈은 2개의 눈비늘로 싸여 있으며 털이 있다.

잎
- 잎은 어긋나고 넓은 난형 또는 타원형이다.
- 잎에 3개의 굵은 잎맥이 발달하고 가장자리에 잔톱니가 있다.
- 자웅이주로 6~7월에 흰색 꽃이 피는데 양성화이다.

꽃
- 꽃은 취산꽃차례로 달린다.
- 꽃받침조각과 꽃잎은 5개씩이고 암술대는 3개로 갈라진다.

열매
- 열매는 갈색이 돌고 닭의 발톱 모양이다.
- 열매의 3실에 각각 1개씩의 종자가 들어 있다.
- 종자는 다갈색이고 윤기가 있다.

이용
- 열매가 익을 무렵이면 과경이 굵어져서 울퉁불퉁하게 된다.
- 은은한 향기가 있고, 단맛이 있어 먹을 수 있으며 음식맛을 한결 돋운다.
- 『본초강목』에 술을 썩히는 작용이 있다고 하며 생즙은 술독을 풀고 구역질을 멎게 한다고 하였다.
- 목재는 건축재 · 가구재 · 악기재 등으로 사용한다.

약 용 활 용

생약명 | 지구, 지구근, 지구목즙, 지구목피, 지구엽, 지구자

이용부위 | 뿌리

채취시기 | 가을

약성미 | 성질은 따뜻하고 맛은 떫다.

주치활용 | 허노토혈, 류머티즘에 의한 근골통, 술중독, 황달, 간경화

효능 | 이뇨

주의 | 습열한사가 해소되지 않았을 때는 피한다.

2011 © 협죽도

학명 | Nerium indicum

분류 | 쌍떡잎식물 용담목 협죽도과

형태 | 상록관목

협죽도

서식 햇볕이 잘 쬐고 습기가 많은 사질토에서 잘 자라지만 아무 데서나 자라며 공해에 대해서도 매우 강하다.

줄기 밑에서 가지가 총생하여 포기로 되며 수피는 검은 갈색이고 밋밋하다.

잎
- 잎은 3개씩 돌려나고 선상 피침형이며 가장가리가 밋밋하다.
- 질이 두껍고 표면은 짙은 녹색이며 양 면에 털이 없다.

꽃
- 꽃은 7~8월에 피지만 가을까지 계속되고 홍색 · 백색 · 자홍색 및 황백색이 있고 겹꽃도 있다.
- 화관의 밑은 긴 통으로 되고 윗부분은 5개로 갈라져서 수평으로 퍼진다.
- 갈래조각은 꼬이면서 한쪽이 겹쳐진다.
- 화관의 통부와 갈래조각 사이에 실 같은 부속물이 있다.
- 꽃받침은 5개로 갈라지고 5개의 수술은 화관통에 붙어 있다.
- 꽃밥 끝에는 털이 있는 실 같은 부속물이 있다.

열매
- 열매는 골돌이며 갈색으로 성숙하여 세로로 갈라진다.
- 종자는 양 끝에 털이 있다.

번식 번식은 포기 나누기와 꺾꽂이로 한다.

약용활용

생약명 | 협죽도(夾竹桃)

이용부위 | 잎

채취시기 | 수시

약성미 | 성질은 차고 맛은 쓰고 독이 있다.

주치활용 | 심부전, 천식해수, 전간, 타박상, 무월경

효능 | 강심, 이뇨, 거담, 평천, 지통, 거어

주의 | 임산부는 복용을 금한다. 장기간에 다량으로 복용하는 것을 피한다. 적당량을 넘으면 중독이 되므로 주의해야 한다.

2011 © 호두나무

학명 | Juglans sinensis

분류 | 종자식물문 쌍떡잎식물아강 가래나무목 가래나무과

원산지 | 중국

형태 | 낙엽교목

호두나무

서식 중부 이남에서 재배하고 있다.

줄기
- 가지는 굵으며 사방으로 퍼진다.
- 수피는 회백색이며 세로로 깊게 갈라진다.

잎
- 잎은 어긋나고 우상복엽이며 5~7개의 작은잎으로 되어 있다.
- 작은잎은 타원형이고 위쪽의 것일수록 크고 가장자리는 밋밋하거나 뚜렷하지 않은 톱니가 있다.

꽃
- 꽃은 4~5월에 피고 1가화이다.
- 수꽃은 미상꽃차례로 달리고 6~30개의 수술이 있으며 암꽃은 1~3개가 수상꽃차례로 달린다.

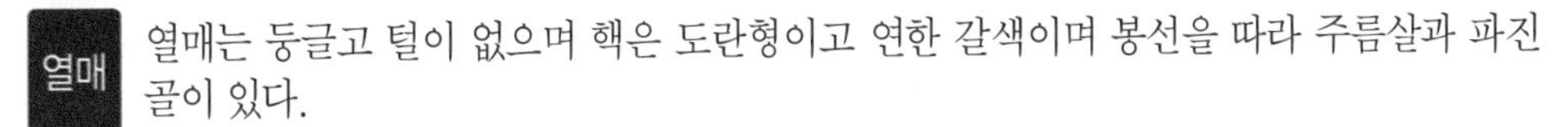

열매 열매는 둥글고 털이 없으며 핵은 도란형이고 연한 갈색이며 봉선을 따라 주름살과 파진 골이 있다.

이용 열매를 식용하고 목재는 가구재로 이용한다.

약 용 활 용

생약명 | 호도외청피(胡桃外青皮), 호도인(胡桃仁)

이용부위 | 껍질

채취시기 | 가을

약성미 | 성질은 평하고 맛은 달다.

주치활용 | 옴, 진해, 폐기, 동상, 구충, 임신구토, 수렴성, 자양강장, 두발염색, 피부병

효능 | 수리

2011 © 호랑가시나무

속명 | 묘아자나무

학명 | Ilex cornuta

분류 | 종자식물문 쌍떡잎식물아강 감탕나무과

분포 | 한국의(전북 변산반도 이남), 중국 남부

형태 | 상록관목

호랑가시나무

서식 해변가 낮은 산의 양지에서 자란다.

줄기 가지가 무성하며 털이 없다.

잎 잎은 어긋나고 두꺼우며 윤기가 있고 타원상 육각형이며 각점이 예리한 가시로 되어 있다.

꽃
- 꽃은 4~5월에 피고 향기가 있으며 5~6개가 잎겨드랑이에 산형꽃차례로 달린다.
- 암술은 암술대가 없고 암술머리는 약간 높아져서 4개로 갈라지고 흑색으로 된다.

열매
- 열매는 둥글고 9~10월에 적색으로 익는다.
- 종자는 4개씩 들어 있고 난형이며 맥문이 있다.

번식 번식은 가을에 익은 종자를 채취하여 봄에 파종한다.

약용활용

생약명 | 구골목(枸骨木), 구골엽, 구골자

이용부위 | 잎

채취시기 | 잎은 여름에, 종자는 가을에 채취한다.

약성미 | 맛은 달고 성질은 평하며 독이 없다.

주치활용 | 폐노각혈, 골증조열, 두통현, 고혈압, 류머티즘, 노상출혈, 골다공증, 관절염, 귀울림, 눈충혈

효능 | 청열양음, 평간, 익신, 보간, 보신, 양기혈, 거풍습

민간활용 | 기침이나 가래가 심할 때 구골엽(호랑가시나무 잎)을 달여 마시면 좋다.

주의 | 호랑가시에는 피임 효과가 있어 이를 복용할 경우 체질에 따라 임신이 안 되는 수가 있으므로 주의해야 한다.

2011 © 화살나무

학명 | Euonymus alatus

분류 | 쌍떡잎식물 무환자나무목 노박덩굴과

분포 | 한국, 일본, 사할린, 중국

형태 | 낙엽관목

화살나무

서식 산야에서 흔히 자란다.

줄기 잔가지에 2~4개의 날개가 있다.

잎
· 잎은 마주달리고 짧은 잎자루가 있다.
· 타원형 또는 달걀을 거꾸로 세운 모양으로 가장자리에 잔 톱니가 있고 털이 없다.

꽃
· 꽃은 5월에 피고 황록색이며 취산꽃차례로 달린다.
· 꽃이삭은 잎겨드랑이에서 나온다.
· 꽃받침조각 · 꽃잎 및 수술은 4개씩이고 씨방은 1~2실이다.

열매
· 꽃은 5월에 피고 황록색이며 취산꽃차례로 달린다.
· 꽃이삭은 잎겨드랑이에서 나온다.
· 꽃받침조각 · 꽃잎 및 수술은 4개씩이고 씨방은 1~2실이다.

이용 어린 잎은 나물로 하고 가지의 날개를 귀전우라고 한다.

약 용 활 용

생약명 | 귀전우(鬼箭羽)

이용부위 | 줄기

채취시기 | 가을(9~10월)

약성미 | 성질은 차고 맛은 쓰다.

주치활용 | 동맥경화, 해수, 월경불순,중풍, 혈전증, 적백대하, 산후출혈, 정신불안, 당뇨, 징가(여자의 뱃속에 덩어리가 뭉쳐 생기는 병), 암

효능 | 파혈(破血)작용, 항암, 항염, 혈액순환

민간활용 | 화살나무의 말린 열매를 빻은 가루를 기름에 이겨 만든 고약으로 진드기 피부병을 치료한다. 줄기에 붙은 날개를 채취하여 검게 태워서 밥알과 반죽하여 가시가 박힌 살에 붙이면 효과가 있다.
암치료시 복용을 위해서는 뿌리, 가지, 잎사귀는 같이 달이고 날개는 따로 따서 말린 후 곱게 갈아, 달인 물에 한 숟가락씩 먹으면 효과가 있다.

주의 | 임산부에게는 쓰지 않는다.

2011 © 황매화

학명 | Kerria japonica

분류 | 쌍떡잎식물 장미목 장미과

분포 | 한국, 일본, 중국

생육상 | 낙엽관목

황매화

서식 습기가 있는 곳에서 무성하게 자라고 그늘에는 약하다.

줄기 무더기로 자라고, 가지가 갈라지고 털이 없다.

잎 잎은 어긋나고 긴 달걀 모양이며 가장자리에 겹톱니가 있다.

꽃
- 꽃은 4~5월에 황색으로 잎과 같이 피고 가지 끝에 달린다.
- 꽃받침조각과 꽃잎은 5개씩이고 수술은 많으며 암술은 5개이다.

열매 열매는 견과로 9월에 결실하며 검은 갈색의 달걀 모양의 원형이다.

이용
- 공해에 강하고 이식이 용이한 장점이 있다.
- 꽃과 잎은 소화불량, 해수, 이뇨 등에 사용한다.

약용활용

생약명 | 체당화(棣棠花)

이용부위 | 줄기잎꽃

채취시기 | 꽃은 개화기(4~5월), 가지와 잎은 7~8월

약성미 | 성질은 평하고 맛은 떫고 독이 없다.

주치활용 | 구해, 소화불량, 수종, 류머티즘, 창독, 소아의 담마진

효능 | 거풍, 윤폐, 거담

2011 © 황벽나무

속명 | 황경피나무

학명 | Phellodendron amurense

분류 | 쌍떡잎식물 쥐손이풀목 운향과

분포 | 한국, 일본, 중국

형태 | 낙엽교목

황벽나무

서식 산지에서 자란다.

줄기 나무껍질에 연한 회색으로 코르크가 발달하여 깊은 홈이 진다.

잎
- 잎은 마주 달리고 홀수 깃꼴겹잎이다.
- 작은잎은 5~13개로서 달걀 모양 또는 바소꼴의 달걀 모양이고 뒷면은 흰빛이 돌며 잎맥 밑동에 털이 약간 있다.

꽃
- 꽃은 6월에 피고 원추꽃차례로 달리며 2가화이다.
- 꽃잎은 5~8개이고 안쪽에 털이 있으며, 수꽃에는 5~6개의 수술과 퇴화한 암술이 있다.
- 씨방은 5실이다.

열매 열매는 핵과로 7~10월에 둥글고 검게 익으며, 겨울에도 달려 있다. 5개의 종자가 들어 있다.

약용활용

생약명 | 황백(黃柏)
이용부위 | 줄기껍질
채취시기 | 봄, 여름
약성미 | 성질은 차고 맛은 쓰다.
주치활용 | 황달, 이질, 대하
효능 | 건위제, 지사제

2011 © 회양목

학명 | Buxus microphylla var. koreana

분류 | 쌍떡잎식물 무환자나무목 회양목과

분포 | 전북, 평북, 함북 이외의 전국

형태 | 상록활엽 관목 또는 소교목

회양목

서식 산지의 석회암지대에서 자란다.

줄기 작은 가지는 녹색이고 네모지며 털이 있다.

잎
- 잎은 마주 달리고 두꺼우며 타원형이고 끝이 둥글거나 오목하다.
- 중륵의 하반부에 털이 있고 가장자리는 밋밋하며 뒤로 젖혀지고 잎자루에 털이 있다.

꽃
- 꽃은 4~5월에 노란색으로 피고 암수꽃이 몇 개씩 모여달리며 중앙에 암꽃이 있다.
- 수꽃은 보통 3개씩의 수술과 1개의 암술 흔적이 있다.
- 암꽃은 수꽃과 더불어 꽃잎이 없고 1개의 암술이 있으며 암술머리는 3개로 갈라진다.

열매 열매는 삭과로 타원형이고 끝에 딱딱하게 된 암술머리가 있으며 6~7월에 갈색으로 익는다.

이용 정원수, 조각재, 도장, 지팡이로 이용한다.

약용활용

생약명 | 황양(黃楊)

이용부위 | 잎

채취시기 | 어느 때든지 채취 가능

주치활용 | 풍과 습기로 인한 통증, 백일해, 고환이나 부고환의 질환으로 인한 신경통, 치통, 통풍, 류머티스, 매독

효능 | 진통, 진해, 거풍

주의 | 과용하면 구토, 설사, 현기증 등의 증세가 일어난다.

2011 © 회화나무

학명 | *Sophora japonica*

분류 | 쌍떡잎식물 장미목 콩과

분포 | 한국, 일본, 중국

형태 | 낙엽교목

회화나무

줄기 가지가 퍼지고 작은가지는 녹색이며 자르면 냄새가 난다.

- 잎은 어긋나고 1회 깃꼴겹잎이다.
- 작은잎은 7~17개씩이고 달걀 모양 또는 달걀 모양의 타원형이며, 뒷면에는 작은잎자루와 더불어 누운 털이 있다.

- 꽃은 8월에 연한 황색으로 피고 원추꽃차례로 달린다.
- 꼬투리는 종자가 들어 있는 사이가 잘록하게 들어가며 밑으로 처진다.
- 꽃봉오리를 괴화 또는 괴미라고 하며 열매를 괴실이라 하는데, 모두 약용으로 한다.

열매 열매는 협과로 원기둥 또는 염주 모양이다.

이용
- 괴화는 동맥경화 및 고혈압에 쓰고 맥주와 종이를 황색으로 만드는 데 쓴다.
- 괴실은 가지 및 나무껍질과 더불어 치질 치료에 쓴다.
- 정원수나 목재는 가구재로 이용한다.

약용활용

생약명 | 괴수(槐樹)

이용부위 | 열매

채취시기 | 꽃은 피기 직전에, 열매는 완전히 익은 뒤에 채취한다.

약성미 | 성질은 차고 맛은 쓰고 독이 없다.

주치활용 | 장열변혈, 치종출혈, 간열두통, 현훈목적

효능 | 청열, 사화, 양혈, 지혈

민간활용 | 모든 심통에는 회화나무의 가지 즉, 괴수를 잘게 썰어 물로 적당히 달여 차 대용으로 수시로 마시면 심통에 효과가 있다.

주의 | 비위허한 자 및 임산부는 복용을 금한다.

학명 | Machilus thunbergii

분류 | 쌍떡잎식물 미나리아재비목 녹나무과

분포 | 한국, 일본, 타이완 및 중국 남부

형태 | 상록교목

후박나무

서식 산지에서 자란다.

줄기 나무껍질은 회황색이며 비늘처럼 떨어진다.

잎
- 잎은 가지 끝에 모여서 어긋나고 달걀을 거꾸로 세운 모양의 타원형 또는 달걀을 거꾸로 세운 모양의 긴 타원형이며 털이 없다.
- 잎가장자리가 밋밋하고 우상맥이 있다.
- 잎 뒷면은 회록색이다.

꽃
- 꽃은 5~6월에 피고 황록색이며 원추꽃차례로 달린다.
- 꽃이삭은 잎겨드랑이에서 자라고 털이 없다.
- 꽃은 양성화이고 화피갈래조각은 6개이며 수술은 12개이지만 3개는 꽃밥이 없다.
- 암술은 1개이다.

열매 열매는 둥글고 흑자색으로 성숙하고 열매자루는 붉은 빛이다.

이용
- 수피와 잎을 분말로 하여 선향의 결합제로 한다.
- 수피를 염료로 사용하기도 한다.
- 목재는 가구재 및 선박재로 한다.

약 용 활 용

생약명 | 홍남피(紅楠皮)

이용부위 | 껍질

채취시기 | 여름(8~9월)

약성미 | 성질은 따뜻하고 맛은 맵다.

주치활용 | 좌상근, 전근족종, 소화불량, 복통, 구토 설사, 기침, 가슴과 배가 부풀어 거북하고 아픈 증세

효능 | 건위, 정장, 거담, 소화, 수렴, 진정.

주의 | 비위가 허약한 자와 외감에 위장병이 있는 자, 설사 자는 복용을 금한다.

학명 | Cornus alba

분류 | 쌍떡잎식물 산형목 층층나무과

분포 | 한국(평남, 평북, 함남, 함북), 중국, 몽골, 시베리아, 유럽 등지

형태 | 낙엽활엽 관목

흰말채나무

서식 산지 물가에서 자란다.

줄기 나무껍질은 붉은색이고 골속은 흰색이며 어린 가지에는 털이 없다.

잎
- 잎은 마주나고 타원 모양이거나 달걀꼴 타원 모양이다.
- 끝은 뾰족하고 밑부분은 둥글거나 넓은 쐐기 모양이며 가장자리는 밋밋하다.
- 겉면은 녹색이고 누운 털이 나며 뒷면은 흰색으로서 잔털이 난다.
- 곁맥은 6쌍이다.

꽃
- 꽃은 5~6월에 노랑 빛을 띤 흰색으로 피는데, 가지 끝에 우산 모양으로 퍼진 취산꽃차례로 달린다.
- 꽃받침은 4갈래로 갈라지며 갈래조각은 뾰족하고 짧다.
- 꽃잎은 4장이고 달걀 모양 바소꼴이다.
- 수술은 4개로서 꽃잎과 길이가 비슷하고 암술은 수술보다 짧으며 씨방은 아랫부분에 있다.

열매
- 열매는 타원 모양의 핵과로서 흰색 또는 파랑 빛을 띤 흰색이며 8~9월에 익는다.
- 종자는 양쪽 끝이 좁고 납작하다.
- 종자와 꺾꽂이로 번식한다.

이용 관상용 가치가 있는 식물이다.

약용활용

생약명 | 홍서목(紅瑞木)

이용부위 | 나무껍질, 잎

채취시기 | 여름(7~8월)

약성미 | 성질은 평하고 맛은 달고 싱겁다.

주치활용 | 흉막염, 사지관절동통, 심장염, 각혈, 열나기

효능 | 지열, 소염

학명 | Corylopsis coreana

분류 | 쌍떡잎식물 장미목 조록나무과

원산지 | 한국

분포 | 지리산, 백운산, 광덕산

형태 | 낙엽관목

히어리

서식 산기슭에 자란다.

줄기 작은 가지는 황갈색 또는 암갈색이며 피목이 밀생한다.

겨울눈 겨울눈은 2개의 눈비늘로 싸여 있다.

잎
- 잎은 어긋나고 달걀 모양의 원형이며 밑은 심장형이다.
- 잎가장자리에 뾰족한 톱니가 있으며 양면에 털이 없다.
- 잎은 가을에 황색으로 된다.

꽃
- 꽃은 4월에 피고 연한 황록색이며 8~12개의 꽃이 총상꽃차례로 달린다.
- 밑에 달린 포는 달걀 모양으로 막질이고 양 면에 긴 털이 있다.
- 그 윗부분에서 긴 털로 덮인 잎이 나온다.
- 꽃에 달린 포는 안쪽과 가장자리에 털이 밀생한다.
- 꽃받침은 5개로 갈라지고 털이 없으며 꽃잎은 달걀을 거꾸로 세운 모양이다.
- 수술은 5개, 암술대는 2개이다.

열매 열매는 삭과로 9월에 결실하며 2개로 갈라지고 종자는 검다.

이용 관상용 · 땔감으로 이용한다.

약용활용

이용부위 | 뿌리껍질

주치활용 | 오한발열, 구역, 번란혼미, 두통, 이명, 해수병, 해열, 월경과다

효능 | 살충, 해독

|부록|

뿌리

기근

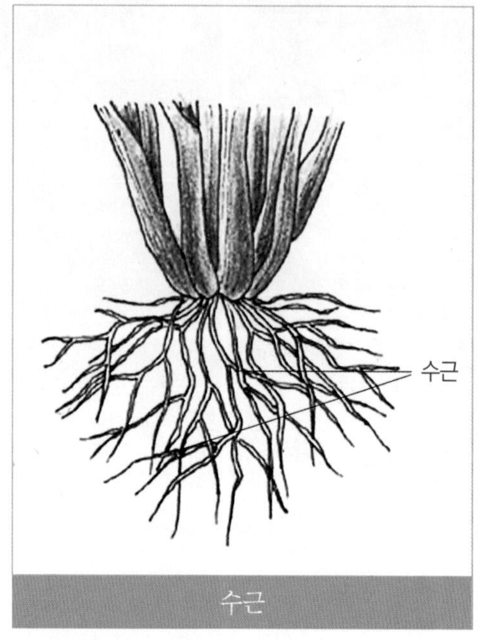

수근

지주기근(옥수수)

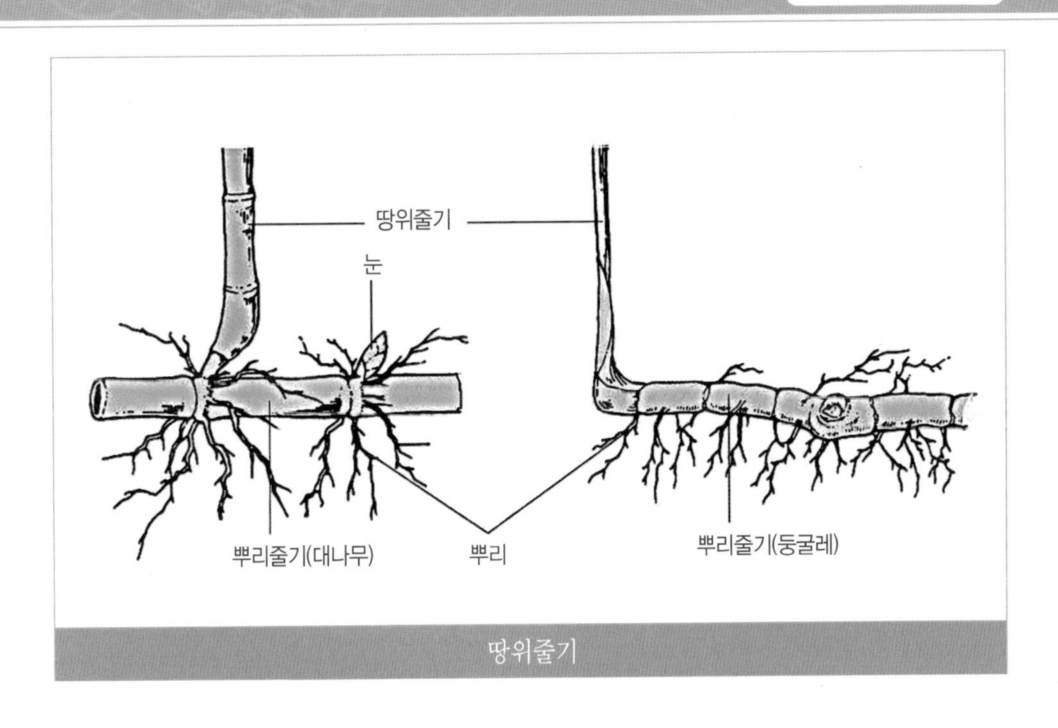

땅위줄기

알줄기

줄기

알줄기

땅속줄기(감자)

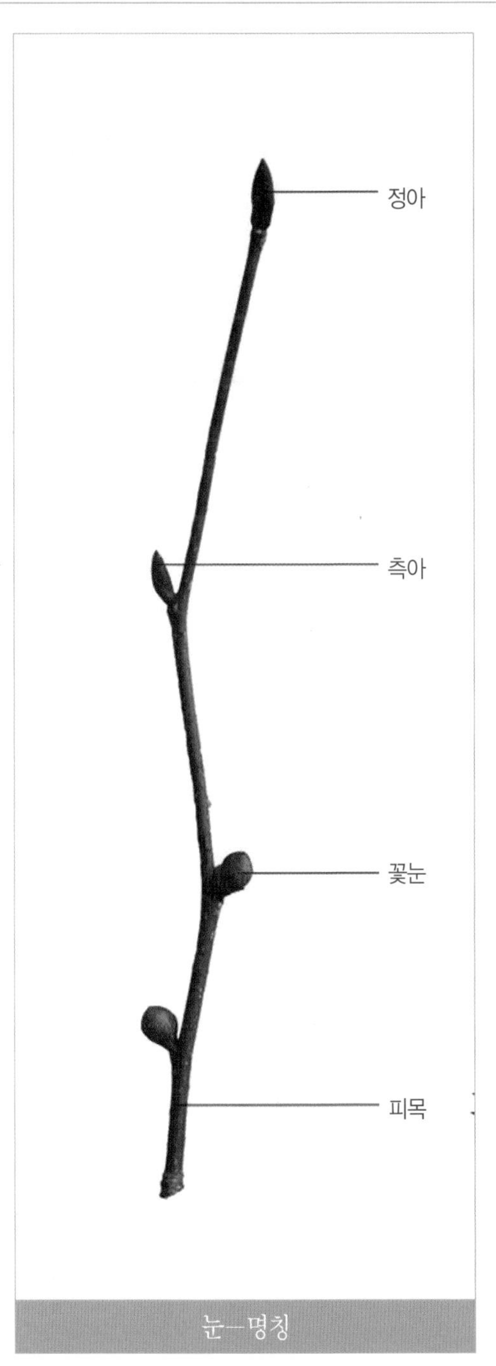

눈–명칭

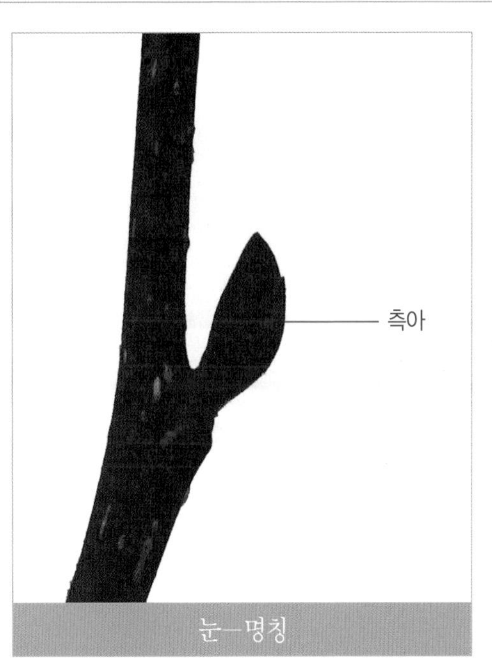

눈–명칭

꽃눈

잎

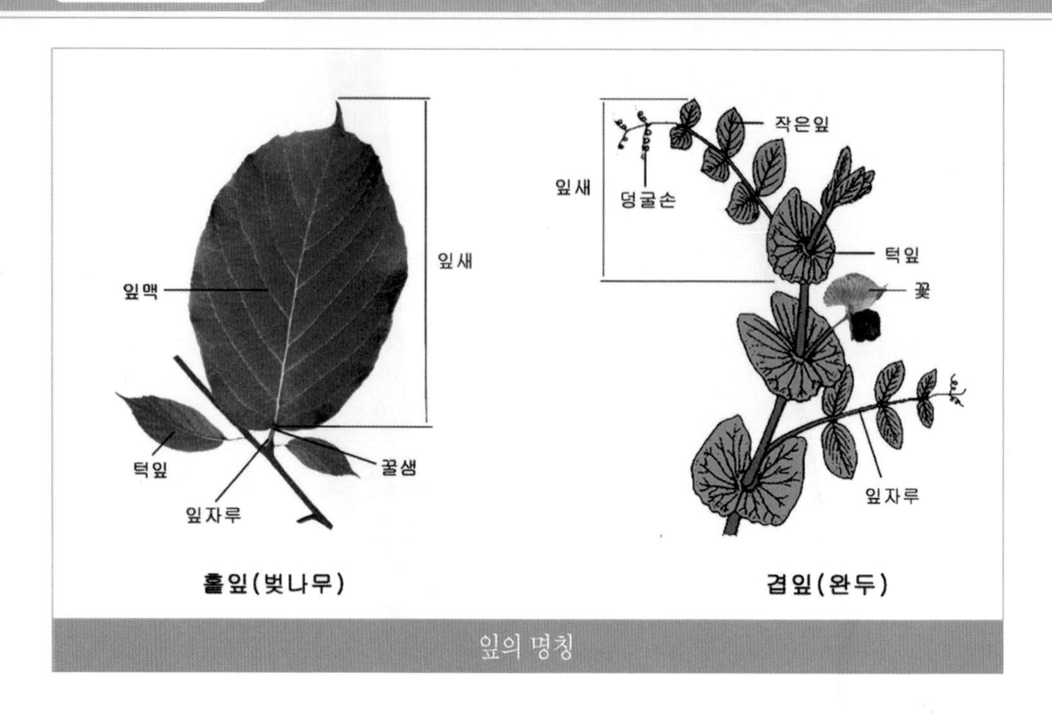
잎맥
잎새
턱잎
꿀샘
잎자루
홑잎(벚나무)
잎새
덩굴손
작은잎
턱잎
꽃
잎자루
겹잎(완두)

잎의 명칭

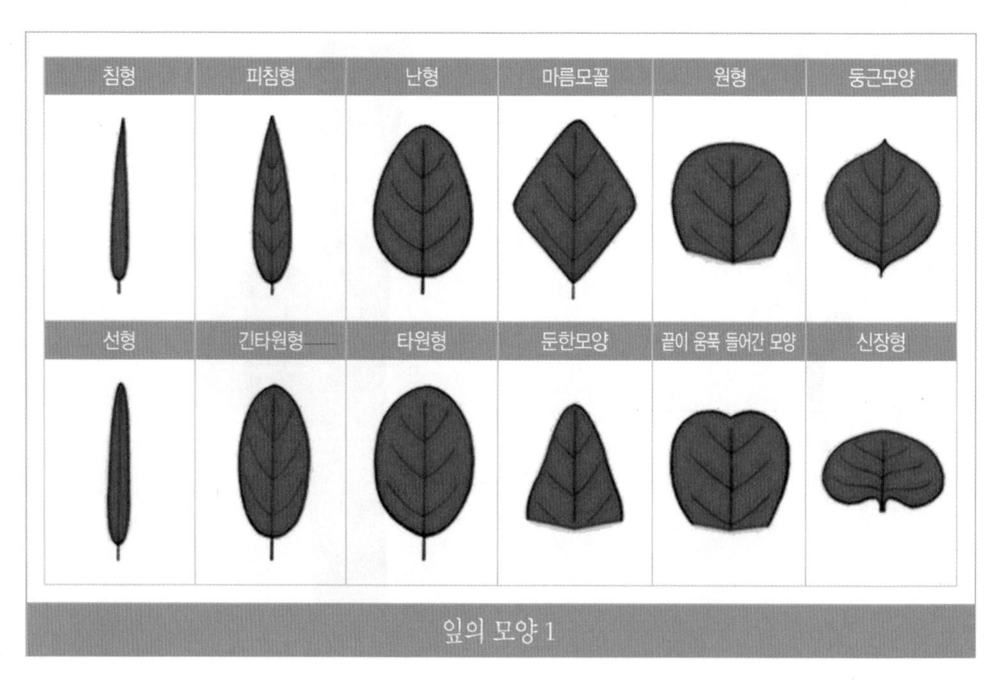
침형
피침형
난형
마름모꼴
원형
둥근모양
선형
긴타원형
타원형
둔한모양
끝이 움푹 들어간 모양
신장형

잎의 모양 1

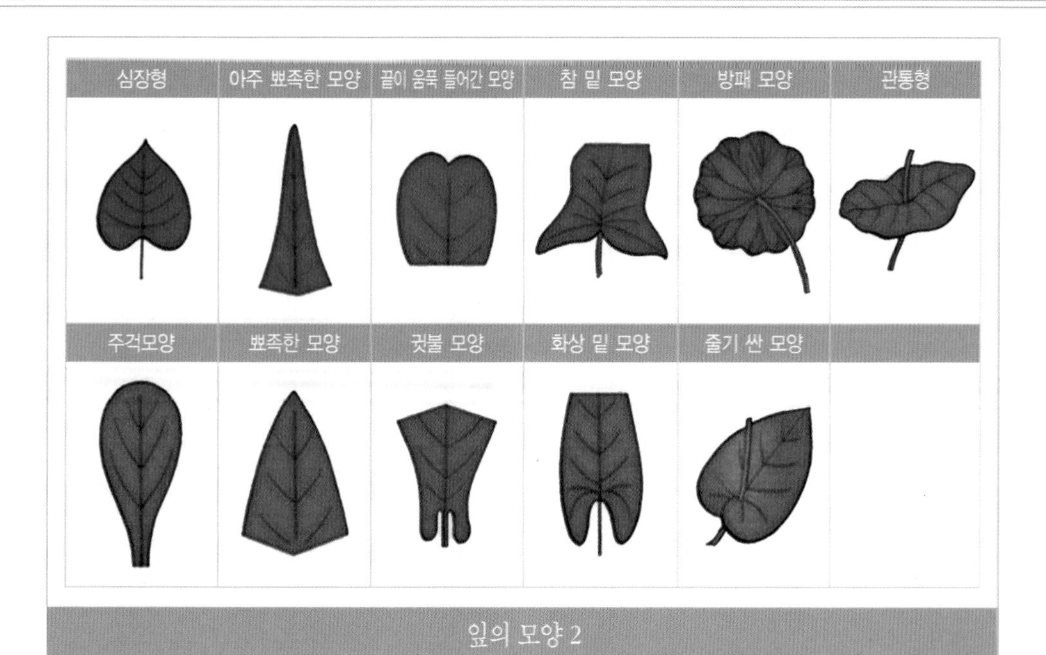

잎의 모양 2

밋밋한 모양
둔한 톱니 모양
톱니 모양
겹톱니 모양
물결 모양
길게 갈라진 모양
예리한 가는 톱니 모양
가는 톱니 모양
거친 톱니 모양
결각상
얕게 갈라진 모양
완전히 갈라진 모양

잎의 가장자리 모양

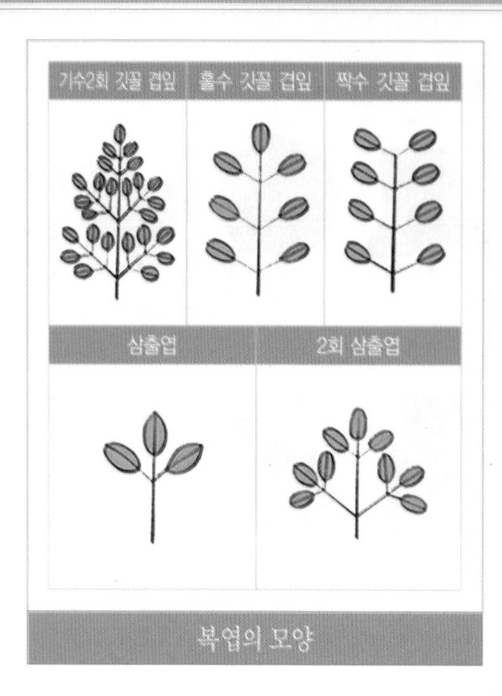

복엽의 모양

포엽-가는잎할미꽃

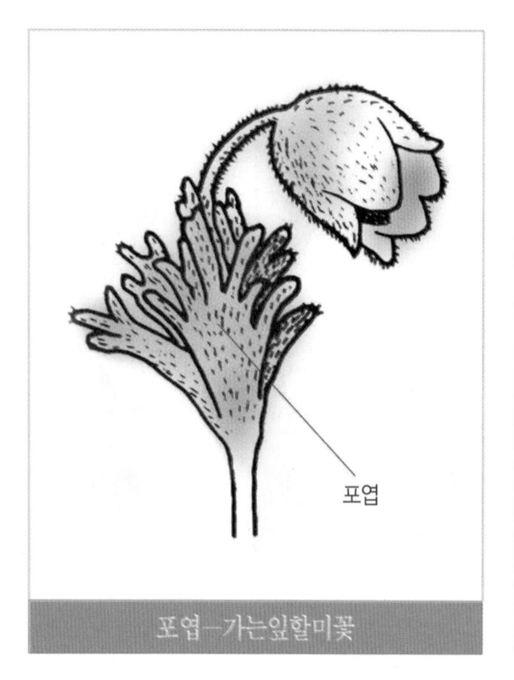

포엽-가는잎할미꽃

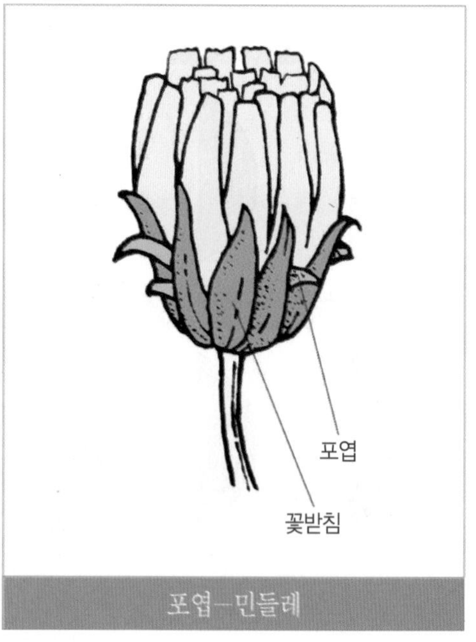

포엽-민들레

화관의 구조–수선화

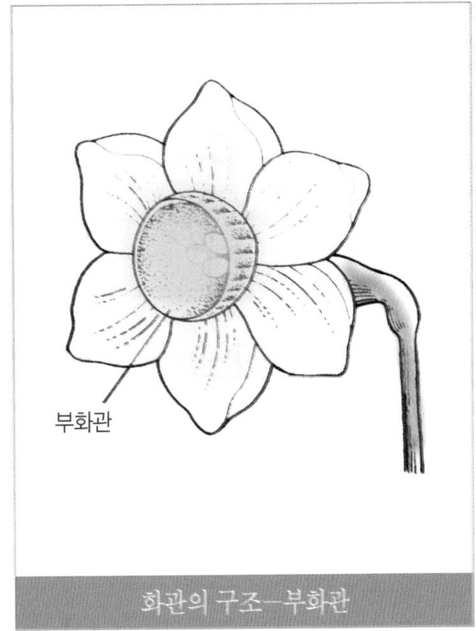

화관의 구조–부화관

화관의 구조 - 흰민들레

화관

관상화—엉겅퀴

설상화—해바라기

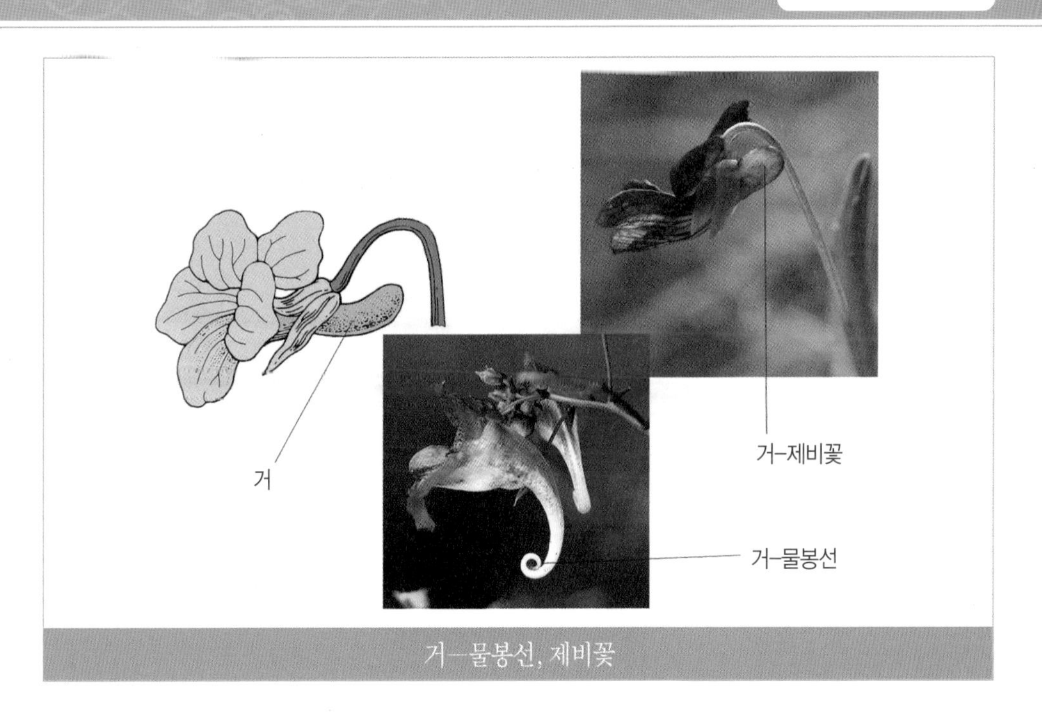

거-물봉선, 제비꽃

용괄판

꽃—쌍자엽식물 꽃명칭—수선화

꽃—쌍자엽식물 꽃명칭—수선화

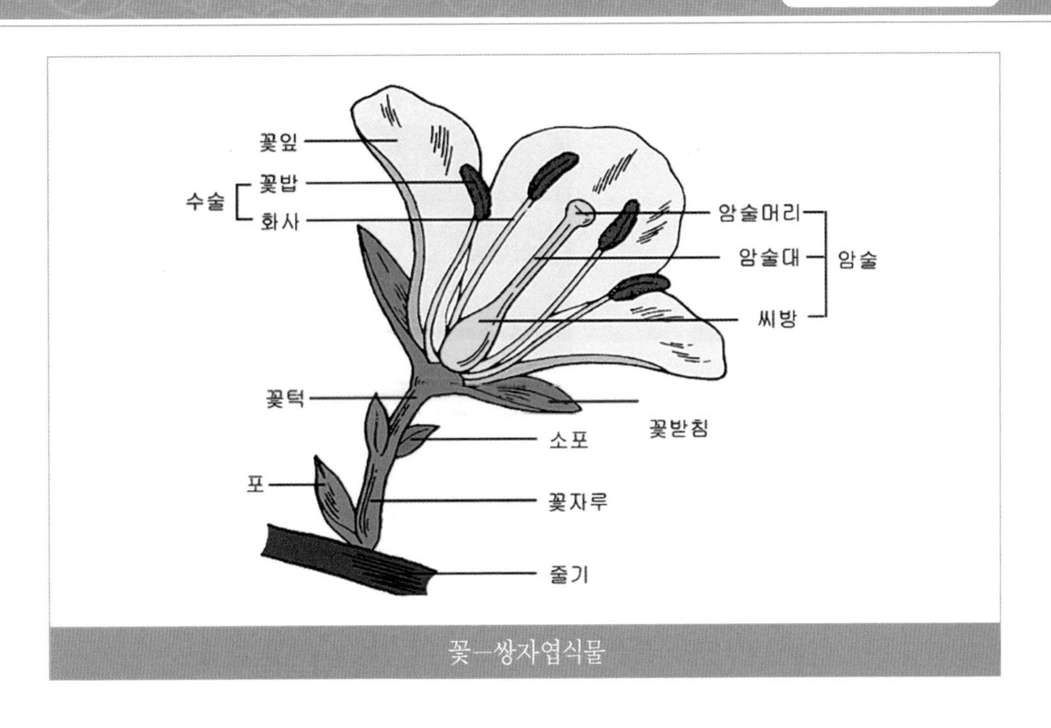

꽃—쌍자엽식물

꽃—단자엽식물 꽃 명칭—원추리

총상꽃차례—유채

총상꽃차례—낭아초

이삭모양꽃차례—질경이

원추모양차례—붉나무

산방꽃차례—인가목조팝나무

우산모양꽃차례—앵초

겹우산모양꽃차례—당근

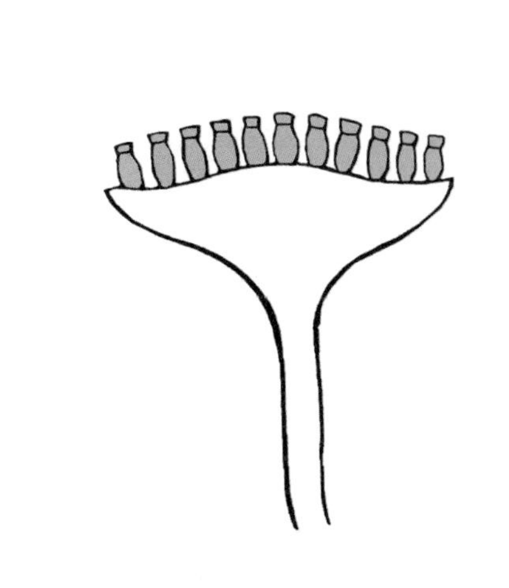

머리모양꽃차례—쑥부쟁이

꽃차례

권산꽃차례—꽃마리

꼬리모양꽃차례—졸참나무

다출집산꽃차례—거지덩굴

살이삭꽃차례—천남성

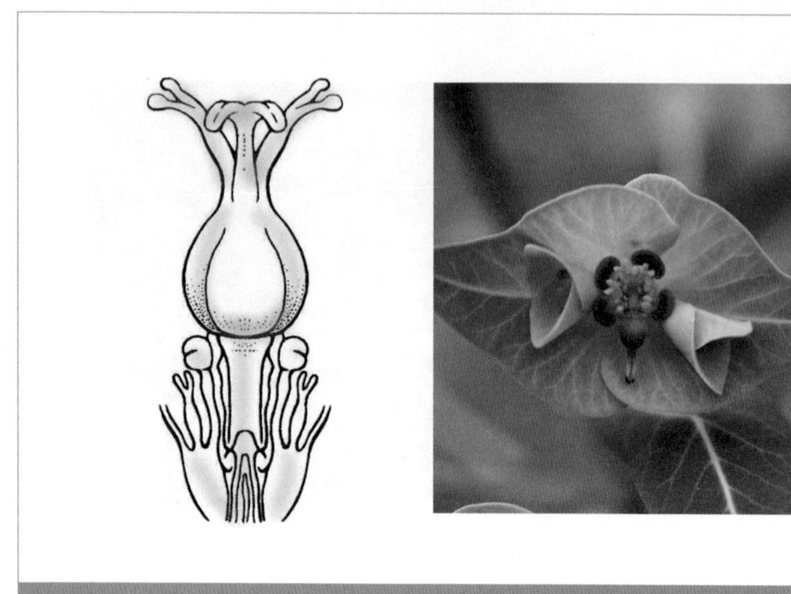

찻잔모양꽃차례—대극

집산꽃차례—젓가락나물

견과–졸참나무

공개삭과(건과, 열과)–개양귀비

단각과(건과, 열과)–냉이

대과(건과, 열과)–으름덩굴

삭과(건과, 열과)—붓꽃

삭과—질경이

수과—미나리아재비

수과—민들레

시과(익과)—붉은단풍나무

영과—벼

장각과(건과, 열과)—싸리냉이

절협삭과(건과, 불렬과)—자귀풀

포과—개비름

핵과—복숭아

협과—붉은완두

수염있는 씨—민들레

수염있는 씨—풍접초 씨

수염있는 씨—바늘꽃

수염있는 씨—박주가리

수염있는 씨—박주가리

수염있는 씨—협죽도

경침–꾸지뽕나무

경침–주엽나무

가시 - 엽침

엽침 - 아까시나무

엽침 - 초피나무

피침－며느리밑씻개

피침－며느리배꼽

피침－지느러미엉겅퀴

피침－환삼덩굴

피침–두릅나무

피침–산초나무

피침–음나무

피침–해당화

찾|아|보|기

목본류